JN057222

中国人権英雄画伝

在日水墨画家による詩書画で讃えた一一六名の自由義士

宇宙大観

中国人権英雄画伝

在日水墨画家による詩書画で讃えた一一六名の自由義士

【前言】

一——中共自暴力奪得中國大陸的政權以來，就以無產階級革命和專政的名義不斷開展政治運動，對中國人民進行洗腦、奴役和屠殺，造成八〇〇〇萬至一億人以上的非正常死亡。但是這裡面多數人被共產黨洗腦至深，到死也沒有搞明白是非因果。

但是也有一部分人士，由於具有獨立人格和獨立思考能力，又有勇氣表達出來，他們知道中共獨裁暴政就是中國人民苦難的根源。他們用和平的言行方式做了抗爭，卻受到了中共暴政的殘酷迫害，有的還失去了自由、財產和生命，他們不單是受害者，更是自由意志的人權英雄，是我們應該表達感佩和謳歌的優秀人物。

はじめに

一——中共は暴力によって中国大陸の政権を奪取して以来、プロレタリア革命と独裁の名目で政治運動を繰り返し展開し、中国人民を洗脳、奴隷化、虐殺してきたため、八〇〇〇万から一億人以上が異常な死を遂げた。ただし、死んだ人たちの多くは共産党に洗脳されきっており、死ぬまで因果関係をはっきり理解できなかった。

しかし、中には独立した人格と自立的思考力を備え、また物を言う勇気も持ち、中共独裁の暴政が中国人民の苦難の根源であることを知っている人たちも一部にはいる。彼らは平和的な言動で抵抗したが、中共の暴政の残虐な迫害を受けるしかなく、自由、財産、生命を失った者もいる。彼らは犠牲者であるだけではなく、自由意志の人権の英雄であり、私たちが尊敬して称賛すべき模範的人物である。

二——由於中共一貫隱瞞真相，篡改歷史，近年又利用高科技禁言封網，監控人民，欺騙世界，還狡猾地將很多政治案件作非政治化處理，模糊政治性質和真相。在這種情況下，外部能夠得到的人權真相的相關信息，依然只是「冰山一角」。中共國黑幕沉沉，無數震驚人類的罪惡尚未揭開。

三——本畫集收集的自由人權英雄，原則上以遠離權力的普通市民（學生，工人，農民，知識份子），也包括曾經的中下層共產黨員，他們的共同特徵是擺脫了共產黨的權力鬥爭和思想控制，站到了人民大眾和人權法制的立場，以及擁有獨立人格和自由靈魂。

四——本畫集編入人物以漢族為主，兼顧其他民族。除了少數具有標誌性的人物，本畫集原則上不收入已經流亡海外的人士。所畫的英雄人物

二——中共は一貫して真相を隠蔽し、犯罪行為を隠し、歴史を改竄してきたし、近年では高度なハイテク技術を使って情報を封鎖し、人民を監視し、世界を欺いている。中共はまた多数の政治的事件を非政治的な事件として処理し、政治犯の真相を曖昧にしている。このような状況において、外部から入手できる人権の真相についての情報は「氷山の一角」に過ぎない。中共の国の陰謀は深く、人類を震撼させる無数の罪悪が未だ明るみになっていないのである。

三——本書は自由と人権の英雄たちを集めた。権力から遠い位置にいる普通の市民（学生、労働者、農民、知識人）を載せることを原則とするが、中下層共産党員だった者も含まれている。彼らに共通する特徴は、共産党内部の権力闘争や思想統制から脱却し、人民大衆と人権、法制の立場に立って、独立した人格と自由な精神を持っていることである。

四——本書に出てくる人物は主に漢族であるが、他の民族も

中也有幾位我本人直接見過面、通過話或在網上有過交流的過往，能為他們作畫，也是我的友誼和敬意的雙重表達。

五——本畫集專注於人權問題，不涉及其他政治訴求。本畫集所要強調的宗旨，即任何政治主張訴求的言論，都應當得到人權法制上的保障，「言論無罪」。

六——畫集中將畫面底色製作為黑色，意為中共國司法官場一片黑暗深不見底，而英雄們正是黑夜中的光亮。

七——本畫集人物分【天安門事件之前】、【天安門事件之後】和【相關諸民族】的三個部分。前後排列按出生年份先後排列，對於不明確的按推斷再加上？號存疑。

取り上げている。一部の特徴的な人物を除いて、原則として海外に亡命している人は取り上げていない。取り上げた人物の中には、私が直接会ったり、会話やオンラインで交流があったりした英雄も何名かいる。彼らを描くことで、私は彼らへの友情と敬意を表現した。

五——本書は人権問題に集中し、他の政治的訴えには触れていない。本書が強調するのは、どんな政治的な訴えも人権上の保障を受けるべきだということ、つまり「言論は無罪」である。

六——画面の背景は黒色にした。これは、中共の国の司法機関の底知れぬ真っ暗さと、英雄たちが暗闇の中の光であることを示すためである。

七——本書の人物は、「天安門事件以前」、「天安門事件以後」、「関連諸民族」の三部分に分けられている。生まれた年の順に並べられており、明確でない場合は推定したうえで「?」を加えた。

八——本畫集所表現人物事件和表述內容系作者個人整理選取，讀者可以更多參照其他文字資訊源，加以補充判斷。只要打上相關名字就能檢索到相關更多信息。

九——畫集文字時有將「中共」寫為「共匪」，因為它們根本不是什麼政黨，就是一個毫無人倫道德的竊國匪盜犯罪集團而已。而將「中國政府」寫成「中共當局」，就是因為現在的中國本質上就是馬列共匪的殖民地。

十——作為中國傳統書畫的傳人，能用中國書畫藝術來謳歌中國人民中華兒女的英雄，我感到光榮和責任。中國繪畫講「形似」更講「神似」，希望我的畫筆能夠表現出英雄的仁義氣概和人性真實。由於中國水墨畫講究氣韻生動筆墨抑揚頓挫，連同題字的書法，也追求跌宕起伏氣勢激越

八——本書に出てくる人物の出来事は、作者個人の整理、選択によるものであり、読者はより多くの情報源も参照して適宜内容を補って判断するのがよい。インターネット上で名前を入力するだけで、関連情報を検索することができる。

九——題字には、「中共」を「中共匪族」と書いたものがある。中共は本質的に政党と呼べるものではなく、道徳のかけらもない匪族の犯罪集団だからである。「中国」という言葉を「中共の国」と書くのも、現在の中国がマルクス・レーニン共産主義匪賊集団の植民地だからである。

十——私は中国の伝統的な書画の継承者として、中国書画芸術を用いて中国人民、中華の子どもたちの英雄を称揚できることに誇りと責任を感じている。中国の絵画は「形似」以上に「神似」、すなわち外形以上に内面を描くことを重んじるものであり、私の作品が英雄の気概や人間性の真実を表現できていることを願っている。中国の水墨画は気高い気品や風格、筆と墨による抑揚や強

烘托主題。在設色上面除了皮膚顏色，其他主要用墨色濃淡來表現，追求一種歷史的厚重感。同時我擅長的中國傳統文化特色的「藏頭詩」，為每位英雄人物奉上一首讚美「藏頭詩」，押韻起伏，朗朗上口。漢族以外民族人士的姓名因為是音譯，「藏頭詩」就免了。

十一——我來日本三十多年，親見親感日本人民真正享有憲法保障的言論自由、信仰自由、結社自由，包括反對和抗議的自由。司法程式完備，任何嫌犯都能得到充分的辯護，對死刑判決和執行尤其慎重。日本各級政府每年都有人權宣傳周活動，力求杜絕各個層面對人權的侵害。

十二——對比自己的祖國在中共暴政之下，人權都被官權黨權的無邊暴力壓死，非戰爭環境卻讓中國人民的死傷人數超過日中戰爭的四、五倍以

弱を大切にするものであるから、題字の書も合わせて、そうした起伏や勢いの変化が主題を際立たせるのを追求した。配色では皮膚の色を除くと主に墨の色の濃淡によって表現し、歴史の重厚感を追求している。また氏名の傍らに中国伝統の「蔵頭詩」としてまとめたものは、各人を讃美する歌であり、リズミカルで容易に口ずさめる。漢族以外の人の名前は音訳であるため、「蔵頭詩」はない。

十一——私は日本に三十年以上おり、日本人が真に憲法の保障による言論の自由、信仰の自由、結社の自由を、反対や抗議の自由も含めて享受していることをじかに感じている。司法手続きが整っていて、被告人にも十分な弁護の機会が与えられ、死刑執行は特に慎重に対処されている。日本の国や地方の政府は毎年人権アピールの週間活動を実施し、各方面での人権侵害をなくすことに努めている。

十二——一方、私の祖国は中共の暴政下に置かれ、人権は官権党

上，平日人民都生活在政權暴力的恐怖之中。真是讓人心潮難平。

十三——僅以本畫集對所有在中共暴政下含冤死亡的億萬同胞表達哀思，對所有對中共暴政做過抗爭的人民英雄民族精英表達敬意。

二〇二三年六月四日於東京
作者

権の無限の暴力によって圧殺されており、戦争が起きているわけでもないのに、中国人民の死傷者数は日中戦争の四、五倍を超え、彼らは通常、政権の暴力の恐怖の中に生きている。全くがまんならないことである。

十三——この本の出版を通じて、中共の暴政下で濡れ衣を着せられるなどして犠牲になったすべての同胞に哀悼の意を表する。また中共の暴政に抵抗してきたすべての人民、英雄、民族のエリートに敬意を表する。

二〇二三年六月四日　東京
作者

日本語訳について

1　原文に忠実に訳した。登場人物と著者の関係を示すため、こちらから事実確認はしなかった。「中共匪賊」という言い回しは、日本でもなじまないが、そのまま訳出してある。

2　中国には行政拘留など容疑段階での拘束刑が存在するので、原文の「拘留」について「勾留」という未決囚を対象とした訳語は用いず、「行政拘留」「刑事拘留（拘役）」などと訳し、不明なものは「拘束」と訳した。

3　日本では近年「投獄」という言い方を用いず「収監」「収容」が使われているが、法輪功学習者や政治犯の収容の実態に鑑みるに教育的意味合いよりも懲罰的意味合いの強い「投獄」がよりふさわしいと考え、「収監」「収容」はほとんど用いなかった。

4　原文の「綁架」は「連行」「拉致」などの意味である。政治犯たちが警察に捕まる場合、通常の手続きを経て身柄拘束する場合もあるが、警察に雇われた者らが誘拐のように連行する場合も多く、「連行」よりも「拉致」を多用した。「帯走」は「連行」と訳した。

5　「有期徒刑」については「懲役」と訳した。判決内容が記されていない箇所も多く、確認できなかったものについては、たんに「実刑判決」と訳した。

6　生まれについて。「北京の人」のように訳している箇所があるが、これは原文通りにした。実際「北京の人」でも北京生まれではないケースが多々ある。

【目次】

第III部

第Ⅰ部 天安門事件前

張志新

張家才女出芙蓉
志向高遠問蒼穹
新朝赤禍遍地血
慘遭割喉恨無窮

張志新，一九三〇年生，當過宣傳幹部。一九六八年起由於對文革不理解並公開表示反對，還將批判矛頭直指毛澤東，而被捕入獄。張志新在監獄備受折磨，她的雙手被反銬在身後，背上背著十八斤重的鐵鎚，腳上帶著腳鐐被批鬥，多次被男犯人強姦、輪姦。一九七五年四月四日被遼寧省革命委員會經過公開審判後處死，終年四十五歲。在處決前，張的喉管被割斷並捂住口鼻以阻止其發聲。後披露這種暴行早已發生多起。

張志新（ちょう・ししん）、一九三〇年生まれ。中共の宣伝幹部を務めていた。一九六八年から文化大革命に疑問を持って公然と反対し、さらに批判の矛先を毛沢東に直接向けたために、逮捕、投獄された。監獄では心身ともずたずたにされた。両手を後ろに縛られた上に九キロの鉄ハンマーを背負わされ、足かせをはめられた状態で批判闘争にかけられ、何度も男性囚人たちから強姦や輪姦を受けた。一九七五年四月四日、遼寧省革命委員会による公開裁判の後に処刑された。享年四五歳。処刑の前には、彼女の気管は切り裂かれ、口や鼻を塞がれて発声を阻止された。このような暴行が多数起きたことは後に披露された。

现行反革命犯
张志新

林昭

林中秀木遭風摧
昭々赤心戰魔鬼
堅強信念不屈志
貞女熱血鑄史碑

林昭，一九三二年出生於蘇州，年輕時曾盲信中共，一九五四年考入北京大學新聞系，一九五七年在反右運動中被打成右派，被發配新疆勞動改造後，因病返回上海，又由於刊行和發表自由詩作和自由言論，被共匪當局反覆逮捕入獄，後在獄中堅持抗爭，用自己的血寫下數十萬字血書詩文，批判中共獨裁專制暴政，謳歌自由精神，於一九六八年被共匪判處死刑，年三十六歲。毫無人性的共匪還向林昭母親索要殺女子彈費，使林母當場昏死過去。

林昭（りん・しょう）、一九三二年蘇州生まれ。若い頃は中共を盲信していた。一九五四年北京大学新聞学部に入学、一九五七年に反右派運動で「右派」として批判され、新疆へ労働改造に行かされた後、病気により上海に戻った。その後も自由な内容の詩や文章を刊行、発表したため、たびたび逮捕、投獄された。獄中でも抵抗し続け、自らの血で数十万字の血書詩文を書き続けて、中共の独裁専制による暴政を批判し、自由な精神を讃えた。一九六八年に死刑を言い渡された。享年三六歳。人間性のかけらもない中共匪賊は、林昭の母親に娘の銃殺に用いた弾丸の費用を請求し、母親はその場で昏倒した。

林昭一九三二年出身於蘇州年輕時投身中共革命參加土改附第一九五四年考入北京大學新聞係
一九五七年在反右運動中被打成右派被發配新疆勞改後因病返回上海又由於刊行和發表詩作被
逮捕入獄後出獄後又因發表自由言論再度被捕入獄在獄中堅持抗爭寫下大量血書詩文
批判極權專制暴政於一九六八年被處死刑終年三十六歲

張春元

張開雙臂追自由
春返嚴冬遭寒流
元始未開終局降
星火閃滅恨悠悠

張春元，一九三〇？年生，一九五七年在蘭州大學讀書期間被打成「右派」，於一九五八年被下放在甘肅農村勞動改造。下放期間目睹了「大躍進」和「人民公社」運動造成農村饑荒的慘烈情況，張春元與「右派」同學們自辦刊物「星火」雜誌，試圖以和平地表達自己的意見，傳播思想，喚醒社會的良知。但未及發行便於一九六〇年九月被共匪當局逮捕，被判無期徒刑。一九六八年，張春元又被誣指「密謀暴動越獄」，被判處死刑殺害，成為中共統治下早期的覺醒者和抗爭者，以及暴政犧牲者。

張春元（ちょう・しゅんげん）、一九三〇？年生まれ。一九五七年、蘭州大学在学中に「右派」とされて批判を受け、一九五八年に甘粛省の農村に労働改造のために下放された。下放された期間中、「大躍進」と「人民公社」運動が農村に飢餓をもたらす惨状を目撃し、同じ「右派」の同級生たちと「星火」という雑誌を自主的に刊行することで、自分たちの意見を平和的に表現し、思想を広め、社会の良心を呼び覚まそうとした。しかし、刊行される前の一九六〇年九月に逮捕され、無期懲役を宣告された。さらに一九六八年に「暴動脱獄密謀罪」で死刑判決を受け、殺害された。中共統治下での初期の覚醒者、抵抗者であり、暴政の犠牲者である。

張春元一九五六年至蘭州大學讀書期間被打成右派、一九五八年
被下放農村勞動改造、下放期間目睹了大躍進帶來農村大饑荒的慘況
張春元与其他右派同學自辦刊物星火雜誌
表達自己的
意見傳播
思想喚醒人
們的良知於一九
六〇年九月二十日遭共匪當局
逮捕被判無期徒刑一九六八年又被
共匪判處死刑是中共暴政下的
早期覺醒者抗爭者是中共暴政的又一罪證也
大觀筆

黃立眾

黃帝族裔有傳人
立志寧鳴不默生
眾民遭災拍案起
怒火直噴黃俄孫

黃立眾，一九三六年出生于安徽省無為縣。一九五六年考入北京大學哲學系。中共大躍進導致大饑荒，黃立眾因為說了農村餓死人的實話，一九五八年遭開除學籍返鄉務農，期間他組建了中國勞動黨，反抗中共暴政而被告密被中共當局抓捕，於一九七〇年被判處死刑殺害。他曾作詩：「一步一陷阱，井井埋活人，先生教學生，為民要忠誠，餓死千千萬，為何不動心?!」

黄立衆（こう・りつしゅう）、一九三六年安徽省無為県生まれ。一九五六年北京大学哲学科に入学。中共の大躍進政策により大飢饉が発生すると、農村での餓死者に関する事実を話したために、一九五八年に学籍を剝奪され、故郷に帰り農業に従事させられた。その間に中国労働党を設立し、中共の暴政に抵抗しようとしたが、密告により捕えられ、一九七〇年に処刑された。彼は詩で次のように述べている。「一歩ごとに落とし穴があって、生きた人を規則正しく埋めていく。民のために忠誠であるべきだと教師は学生に教える。餓死が何千万も広がっているのに、なぜ心を動かさないのか？」。

黃立眾
一九五六年考入北京大學哲學係因說了農村餓死人的實話而遭開除
返鄉務農並組建了中國勞動黨反抗中共暴政被鎮壓於一九七〇年被中共殺害
曾作詩一步一陷阱井々埋活人先生教學生為民要忠誠餓死千々萬為何不動心
大觀筆

沈元

沈元，一九三八年生於上海，一九五五年以全國高考優異成績考入北京大學歷史系。沈元關心時事，一九五六年，他將在圖書館看到刊載蘇共二十大秘密報告的英文報紙內容譯出並與人議論，便在一九五七年反右運動時被劃為「右派份子」，被開除學籍，遣送農村勞動改造。之後沈元被摘帽以病弱之身回到北京，繼續潛心研究歷史。文革期間，沈元被多次批鬥被趕出家門，走投無路之下，一九六八年九月一日欲進入某國家駐華使館避難，被共匪逮捕。於一九七〇年四月十八日被槍決殺害，時年三十二歲。

沈沈黑夜亮無時
元才難抵惡浪擊
歷盡災苦欲避難
竟遭殞命誰痛惜

沈元（しん・げん）、一九三八年上海生まれ。一九五五年全国大学入試で優秀な成績をおさめ北京大学歴史学科に入学。時事問題に関心を持ち、一九五六年に図書館で目にしたソ連共産党第二十回大会の秘密報告が掲載された英字新聞を翻訳し、議論を交わしたことで、一九五七年の反右派運動の際に「右派分子」とされ、学籍を剝奪され農村に労働改造に送られた。後に汚名をそそいで、病弱の身で北京に戻り、歴史研究に専念し続けた。しかし、文化大革命の期間に何度も批判闘争にかけられ、家から引きずり出された。逃げ場もない中、一九六八年九月一日、某国の大使館に避難しようとしたが、警察に逮捕され、一九七〇年四月一八日に銃殺された。享年三二歳。

沈元一九三八年生於上海一九五五年以優異成績考入北京大學歷史係因其關心時事一九五六年因將蘇共秘密報告翻譯議論而被打作右派分子開除學籍遣送農村勞動改造後因病返回北京研究歷史文革後不斷遭批判鬥爭多次被趕出家門

一九六八年九月日沈元因走投無路而將面孔塗黑欲進入某外國使館避難而被共匪公安逮捕於一九七〇年四月十八日被判死刑槍決共匪兩年以後還向其家屬索要子彈費殘暴又荒唐至極　大觀寫

王申酉

王士情懷家國愁
申討公義斥共酋
酉年烈火戰惡浪
熱血滿腔向天流

王申酉，一九四五年生於上海，一九六三年考入華東師範大學物理系，後成為華東師範大學職工。由於愛獨立思考，被稱為民間思想家。因寫下大量批判文革的文字被人告發，而被共匪當局投入監獄，於文革最後期的一九七七年依然被中共殺人集團判處死刑立即執行，被殺害時年僅三十一歲，留有著作【王申酉文集】。

王申酉（おう・しんゆう）、一九四五年上海生まれ。一九六三年華東師範大学物理学科に入学、後に同大学の職員となる。自立した思考を愛することから、民間思想家と呼ばれた。しかし、文化大革命を批判する大量の文章を他人に告発され、投獄された。文化大革命最終期の一九七七年に、中共殺人集団はなおも彼に死刑の判決を下し、即執行された。三一歳の若さだった。遺作に『王申酉文集』がある。

王申酉 一九四五年生一九六三年考入華東師範大學物理係
後成為華東師範大學員工民間思想家因寫下大量批判文革文字
而被當局投入監獄於一九七七年被中共當局判處死刑立即執行被害時
年僅三十二歲留有著作王申酉文集
寧宙大觀筆

李九蓮

李女青春陷魔窩
九州處處血火洗
蓮華拒受污濁染
冤魂永鞭暴君屍

李九蓮，一九四六年生，江西省贛州市人。文化大革命中從狂熱支持到懷疑反思，寫下了七千多字的日記，把矛頭指向了不可一世的林彪和毛澤東。一九六九年被共匪逮捕監禁，文革後仍未獲釋，故堅持喊冤申訴，江西共匪當局竟於一九七七年重新認定其重罪，於十二月十四日判處死刑，行刑前為防止她喊口號，用尖銳的竹籤將其下顎和舌頭串在一起，再槍殺拋屍荒野。後被歹徒姦屍，割去雙乳。是中共暴政的嚴重罪行之一。

李九蓮（り・きゅうれん）、一九四六年生まれ。江西省贛州市の人。文化大革命初期には熱狂的な支持者だったが、やがて疑問を抱くようになって反省し、七千字以上の日記を書いて批判の矛先を怖いもの知らずの林彪と毛沢東に向けた。一九六九年に逮捕、拘束された。文化大革命終了後も釈放されず、無実を主張し続けたため、江西中共匪賊当局は一九七七年に新たに彼女の重罪を認定し、一二月一四日に死刑判決を下した。処刑前には叫ぶのを防ぐために鋭利な竹串で下顎から舌を一突きに刺し、しかも銃殺された遺体は荒野に放置されて、ならず者に死姦され、乳房も切り取られるなど、中共による暴政の重大な犯罪行為の一つになっている。

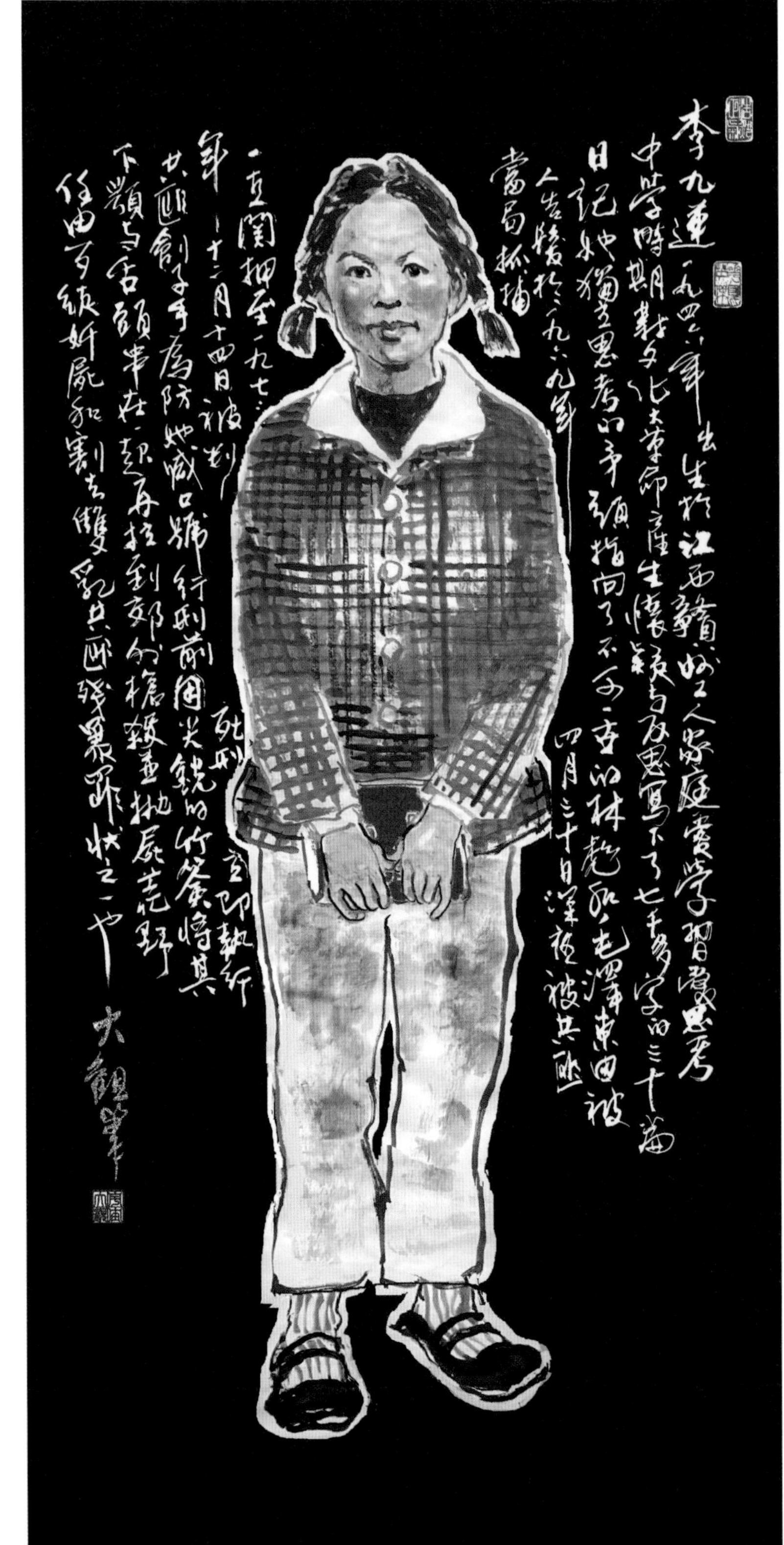
李九蓮一九四六年出生於江西贛州工人家庭愛學習愛思考
中學時期對文化大革命產生懷疑與反思寫下了七千多字的三十篇
日記她獨立思考的矛頭指向了不可一世的林彪和毛澤東因被
人告發於一九六九年
四月三十日深夜被共匪
當局抓捕
一直關押至一九七七年十二月十四日被判死刑立即執行
共匪劊子手為防她喊口號行刑前用尖銳的竹簽將其
下顎與舌頭串在一起再拉到郊外槍殺並拋屍荒野
任由百姓奸屍和割去雙乳共匪殘暴罪狀之一也
大觀筆

遇羅克

遇障嚴苛天幕黑
羅綱密布倒是非
克盡文勇射魔帝
英名烱耀留史牒

遇羅克，一九四二年生於北平，被稱為民間思想家。他從小就喜歡讀書和思考，在高考中得了高分，但由於父母家庭出身，他受到不公平的歧視。一九七〇年在文化大革命開始時紅衛兵運動瘋狂之中，他因撰寫和發表論文《出身論》，被中共當局逮捕，於一九七〇年三月五日被判處死刑，年僅二十七歲。

遇羅克（ぐう・らこく）、一九四二年北京生まれ。民間思想家と称される。子供の頃から読書や思考を好み、大学入試では高得点を取ったが、両親の出身身分が原因で不公平な差別を受けた。一九七〇年、文化大革命が始まり紅衛兵運動が猛威を振るっていた時期に、「出身論」という論文を書いて発表したことで中共当局に逮捕され、一九七〇年三月五日に死刑判決を下された。わずか二七歳だった。

遇羅克 一九四二年生
北京市人民間思想家從小愛讀書愛思考高考成績優異因出身
遭歧視文革中因發表了著名的出身論而遭中共逮捕並於一九七年
三月五日被公判死刑時年僅二十七歲
大觀筆

第

部

天安門事件後

王若望

王師復華志向高
若逢天雨急湧潮
望斷秋水抱夢去
堅信天必滅紅朝

王若望，一九一八年生，江蘇省武進縣人，一九三七年赴延安誤投中共，曾任文藝月報副主編等職務，一九五七年被打成右派后經歷強制勞動等磨難，一九七八年後任中國作家協會理事等。一九八七年因宣傳民主被開除出共中共組織，求仁得仁義無反顧。一九八九年支援和參加了民主運動被中共當局抓捕入獄，一九九二年流亡美國後一直堅持民主理念和活動，於二〇〇一年八十三歲病逝於美國家中。是為近代中國民主化運動的代表人物之一。

王若望（おう・じゃくぼう）、一九一八年生まれ。江蘇省武進県の人。一九三七年に延安で誤って中共に入党、文芸月報の副編集長などを務めた。一九五七年に右派と批判され、強制労働などの苦難を経験した。一九七八年以降は中国作家協会理事などを務めた。一九八七年に民主主義を宣伝したことで中共組織から除名されたが、彼には願ったりかなったりのことであり、後には引かず、一九八九年の民主化運動を支持、自らも參加し、中共当局に捕えられ、投獄された。一九九二年にアメリカに亡命後も一貫して民主の理念を堅持して活動し、二〇〇一年にアメリカの自宅で、病気により八三歳で亡くなった。現代中国民主化運動の代表的人物の一人である。

王若望一九一八年生江蘇省武進縣人一九三七年赴延安參加中共
曾任文藝月報副主編等職一九五七年被打成右派經歷磨難一九七八年
獲平反任中國作家協會理事一九八七年被開除出黨一九八九年支持和參加民主運動
而遭共匪迫害
入獄一九九二年
流亡美國堅持
民主理念和活動
於二〇〇一年病逝於美國
作家王若望
宇宙大觀筆

鐵流

鐵骨不彎仰蒼穹
流難不默自為雄
八旬高齡青春壯
宏文批共晚節榮

鐵流，本名黃澤榮，一九三三年生，四川成都人，記者、作家。一九五七年被劃為右派，關押勞改長達二十三年。一九八〇年平反後積極為右派受害群體討公道，並關心和推動中國民主。二〇一〇年以自費一百萬元成立「鐵流新聞基金」，協助受害的記者和作家。同年十月，與他人聯名致函中共當局人大常委會，要求取消媒體管制實現新聞自由。二〇一四年三月，鐵流撰文批毛邪惡勢力，並在海外網站開設專欄批判共匪獨裁。二〇一四年九月，八十一歲高齡的鐵流被共匪綁架並受到虐待。翌年二月被共匪法院判刑二年六個月，罰金三萬元。現況不明。

鉄流（てつ・りゅう）、本名黄沢栄（こう・たくえい）、一九三三年生まれ。四川省成都の人。ジャーナリスト、作家。一九五七年に右派に指定され、二十三年間の長きにわたって労働改造所に収監された。一九八〇年に冤罪が晴れると、右派被害者たちの名誉回復のために積極的に動き、同時に中国の民主化に関心を寄せて運動を推進した。二〇一〇年、百万元で「鉄流新聞基金」を設立し、被害を受けたジャーナリストや作家を支援した。同年一〇月、連名で中共当局、人民代表大会常務委員会に書簡を送り、メディア規制の撤廃と報道の自由の実現を要求した。二〇一四年三月、毛沢東の邪悪勢力を批判する文章を発表、さらに海外のインターネットサイトで中共匪賊の独裁を批判するコーナーを開設した。二〇一四年九月、八一歳の高齢で身柄拘束され、虐待を受けた。翌年二月、裁判所は二年六ヶ月の実刑と罰金三万元の判決を下した。現在の状況は不明。

鐵流 一九三三年生 四川成都人 本名黃澤榮 記者 作家 一九五七年被打成右派
被關押勞改長達二十三年 一九八〇年平反 後積極為右派受害群體討
要公道 要求否定反右 及要求賠償 並關心和推動中國的民主事業
二〇一〇年以自 曾以百萬元成立鐵流新聞基金
協助受害
的記者和
作家 二〇一〇年
十月與共產有志新
聞工作者聯名致中共偽人大
要求取消媒體審查 實現
新聞自由 二〇一四年因在海外
網站發表批判中共獨裁於當年九月被逮捕 受到非人道待遇
二〇一五年二月被中共當局判刑並罰款三萬元 現況不明
大觀筆

孫文廣

孫文廣，一九三四年生於山東榮成，山東大學退休教授。歷經多次政治運動，遭受迫害被勞教和入獄多年，一直堅持不懈批判中共獨裁專制，而屢屢成為中共當局監控打壓的對象。二〇一八年八月在家中接受美國之音電話採訪時，被中共員警破門綁架，去向不明人間消失。最近傳聞已經被中共當局迫害死亡。

孫文革命功半成
文臣武將遭迷魂
廣報周知赤匪惡
老驥悲鳴傳遠聲

孫文広（そん・ぶんこう）、一九三四年山東省栄成生まれ。山東大学の退職教授。数多くの政治運動で迫害を受け、長年にわたって労働教養施設や監獄に送られたが、一貫して中共独裁専制を批判する立場をたゆまず堅持し、たびたび中共当局の監視、弾圧の対象になった。二〇一八年八月、自宅でアメリカのボイス・オブ・アメリカの電話取材を受けている最中に、中共の警官に家に押し入られて拉致され、行方不明となった。最近では、中共当局の迫害によってすでに死亡しているとも伝わる。

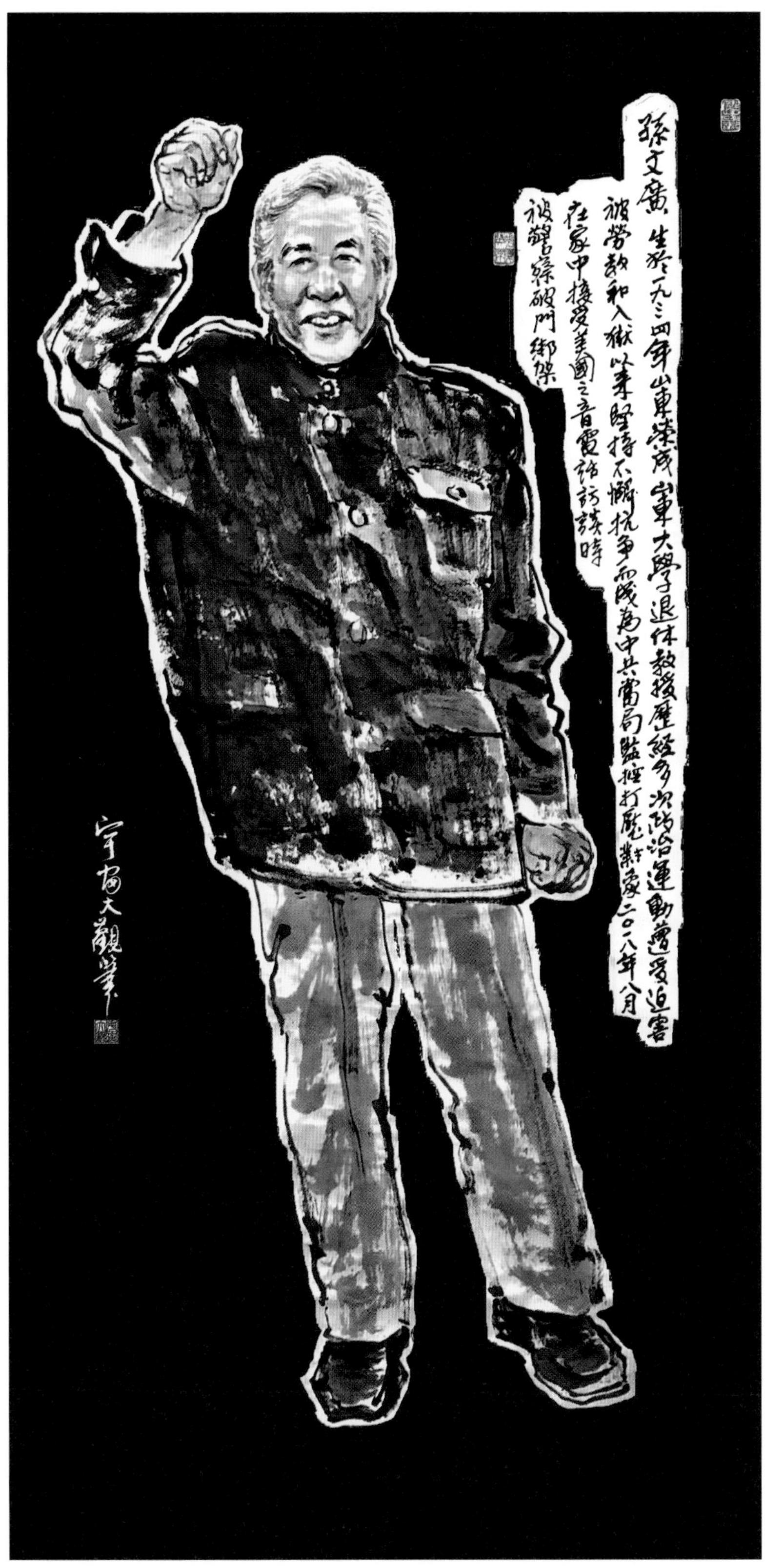
孫文廣 生於一九三四年山東榮成 山東大學退休教授歷經多次政治運動遭受迫害
被勞教和入獄 以來堅持不懈抗爭而成為中共當局監控打壓對象二〇一八年八月
在家中接受美國之音電話訪談時
被警察破門綁架

方勵之

方勵之，一九三六年生於中華民國北平市，籍貫浙江杭州，天體物理學家。一九五七年被共匪內定右派，一九八四年被任命為中國科學技術大學副校長，一九八六年因為支持學潮而被開除黨籍。方勵志先生長年弘揚民主精神理念而在八九六四後遭到共匪當局通緝。於一九九〇年赴美國，長年堅持弘揚民主理念活動，二〇一三年於美國寓所逝世。作為當代中國民主運動的精神領袖和實際推動者而永垂青史。

方向本專天體學
勵志民主揚熱血
之字曲折漫長路
魂在宇空朝天闕

方励之（ほう・れいし）、一九三六年北京市生まれ。原籍は浙江省杭州。天体物理学者。一九五七年に中共匪賊により右派に指定された。一九八四年に中国科学技術大学の副学長に任命されるも、一九八六年に八六学生運動を支持したため党籍を剝奪された。方励之氏は長年にわたり民主の精神と理念を提唱し、一九八九年の六四天安門事件後に指名手配された。一九九〇年にアメリカに移住し、民主の理念を提唱する活動を長く続けた。二〇一三年にアメリカの自宅で亡くなった。現代中国民主化運動の精神的指導者および実際の推進者として、永遠に歴史に名を残すであろう。

方励之一九三六年
生於中華民
國北平市
籍貫浙江
杭州天體
物理學家
一九五七年被內
定右派一九八四年任中
國科學技術大學副校長一九八八年因為八六學潮
而被開除黨籍因方励之
長年弘揚民主而在八九六四後被共匪通緝一九九〇年
赴美二〇一二年於美國寓所逝世
仰為中國當代民主運動領導人之一而永垂青史
大觀筆

呂加平

呂字雙口一言真
加減考據史實存
平直之筆揭奸假
長空回蕩討賊聲

呂加平，一九四一年生，上海嘉定人，中國二戰史研究會會員，長期從事戰略學術研究，有幾部著作出版。二〇〇九年十二月一日，他寫了《關於江澤民的「二奸二假」和政治詐騙問題與要求調查的呼籲》文章，翌年年八月十三日，他又寫了《關於江澤民的假中共地下黨員問題的最新證據》一文發表。二〇一一年五月十三日共匪當局竟於以煽動顛覆國家政權罪判處呂加平有期徒刑十年。二〇二一年三月十一日含冤病逝，一代秉筆直書學者風範令人尊敬。

呂加平（ろ・かへい）、一九四一年生まれ。上海市嘉定の人。中国の第二次世界大戦史研究会の会員であり、長年にわたって戦略の学術研究に従事し、いくつかの著書を出版した。二〇〇九年一二月一日、「江沢民の『二つの邪悪と二つの偽り』と政治詐欺問題について、および調査要求の呼びかけ」という文章を書き、翌年の八月一三日にも「江沢民の偽中共地下党員の問題についての最新証拠」という文章を発表した。二〇一一年五月一三日、ついに中共匪賊当局は「国家政権転覆煽動罪」で懲役十年の判決を下した。二〇二一年三月一一日、冤罪を抱えたまま病死した。すべてを包み隠さない学者の模範として尊敬される。

呂加平一九四一年出生上海嘉定人自由文化人中國二戰史研究會會員從事研究三十餘年有多部著作出版二〇〇九年十二月他寫了關於江澤民二好二假政治詐騙問題與要求調查的呼吁的文章二〇一〇年八月又發表揭露江澤民歷史問題的文章於二〇一一年被共遭當局逮捕判刑十年後保外就醫二〇二二年含冤病逝

壬寅大觀寫

高瑜

高瑜，一九四四年生於重慶，著名記者和專欄作家，畢業於中國人民大學。因支援八九民運及堅持揭露時弊而多次受到中共當局迫害入獄，甚至被中共當局逼上電視認罪。但高瑜不改初心，堅持民主自由理念，報導真相講真話，受到自由世界正義人士的廣泛尊敬，多次獲得【世界自由新聞勇氣獎】，是一貫堅持獨立人格弘揚民主自由的傑出女性代表。

高格求真迎重壓
瑜瑕鑑選筆底發
梅枝不畏寒霜厲
冰封時節放英華

高瑜（こう・ゆ）、一九四四年重慶生まれ。著名なジャーナリスト、コラムニスト。中国人民大学卒業。八九年の民主化運動を支援し中国の問題を暴露し続けたことで、中共当局から度々迫害を受け、投獄された。中共当局からはテレビで罪を認めることも強要されたが、それでも初心を枉げず、民主と自由を堅持し、真相を報じて本当のことを伝え続けた。自由主義世界における正義の意識を持つ人々から広く尊敬され、海外の「勇気賞」を複数回受賞している。独立した人格を守り民主と自由を提唱した女性の傑出した代表である。

高瑜
一九四四年生於重慶著名記者專欄作家畢業於中國人民大學
因支持八九民運及堅持揭露腐敗而多次受到當局迫害入獄也
多次獲得自由金筆獎新聞勇氣獎等多項國際表彰
宇宙大觀筆

王炳章

王者抱負補天衣
炳彪勇往近匪敵
章法運籌行正道
海外民運舉首旗

王炳章，一九四七年生，原為醫學和哲學博士，組織了第一個中國海外民運組織【中國民主團結聯盟】任主席。後又參與多個民運政黨的組建，並積極潛入中國大陸，推動籌組民主活動，二〇〇二年在越南被中共特務綁架回大陸，並被中共匪幫重判無期徒刑，消息不明，令人擔憂。為中國海外民主運動積極獻身的英雄級人物。

王炳章（おう・へいしょう）、一九四七年生まれ。医学・哲学博士。海外初の中国民主化運動組織「中国民主団結連盟」を設立し、主席を務めた。その後も、多くの民主化運動政党の結成に参加し、積極的に中国大陸に潜入して民主化活動の設立準備を推進した。二〇〇二年、ベトナムで中共特務機関に拉致され、中国に連行された。それから無期懲役の判決を受けており、消息不明で懸念されるところである。海外の中国民主化運動に積極的に献身した英雄クラスの代表的人物である。

王炳章 醫學哲學博士中國海外首個民運組織中國民主團結聯盟任主席
領導參與多個民運政黨的組建並積極潛入中國大陸推動籌組民主活動
二〇〇二年在越南被中共特務綁架回大陸並
被中共當局重判無期徒刑為中國海外民主運動代表人物
宇宙大觀筆

黎智英

黎明之前最暗黑
智勇雙全搏輪回
英雄不隨成敗論
天滅中共再舉杯

黎智英，一九四七年生，著名香港企業家及民主活動家，親民主派媒體【蘋果日報】和【壹週刊】的創辦人。由於一貫堅持傳播真相弘揚民主、紀念六四而成了共匪的眼中釘，被列為重要打擊對象之首。二〇二〇年八月共匪以所謂危害國家安全為名拘捕監禁黎智英，引發民主派和國際社會之強烈批評。其本人則將入獄視為人生巔峰，並獲得美國杜魯門雷根自由獎及國際好評，以表彰他畢生追求自由民主以及堅定反抗中共獨裁專制的勇氣。

黎智英（れい・ちえい）、一九四七年生まれ。香港の著名な実業家、民主活動家であり、親民主派メディア「蘋果日報」および「壹週刊」の創設者。彼は常に真実を伝え、民主を提唱し、六四天安門事件を追悼するなどしたことで、中共匪賊に目の敵にされ、重要な攻撃対象のトップだった。二〇二〇年八月、中共匪賊はいわゆる「国家安全への危害」の名目で彼を捕えて監禁し、民主派や国際社会から強烈な批判を受けた。本人は入獄を人生のピークととらえており、米国のトルーマン・レーガン自由賞や国際的な高評価など、彼の懸命に自由と民主を追求し中共の独裁専制に抵抗し続ける勇気は称えられている。

黎智英著名香港企業家及民主活動家已被共匪強制停運的親民主派媒體蘋果日報及壹週刊的創辦人由於其堅持傳播真相弘揚民主紀念六四成為共匪眼中釘被列為打擊對象之首二〇二〇年八月共匪以勾結外國或境外勢力危害國家安全罪為名拘捕黎智英監禁至二〇二一年四月引發民主派和國際社會之批評而其本人將入獄事視為人生巔峰為此獲得美國杜魯門里根自由獎以表彰其畢生追求的自由和民主以及堅毅反抗中共獨裁及其他暴政

大觀筆

紀斯尊

紀斯尊，一九五〇年生，福建著名維權律師。一九八〇年代起就義務為弱勢群體代理訴訟，一生致力於推動中國民主與法制，為此多次遭共匪刑拘、判刑和坐牢。二〇一六年四月，被中共法院胡亂以擾亂社會秩序罪、尋釁滋事罪為罪名判刑四年半。服刑中紀斯尊身體健康惡化，被查出患高血壓、糖尿病等多種疾病。二〇一九年七月十日，紀斯尊死於中共當局嚴密把守的醫院重症監護室，當天被迫立即火化，時年六十九歲。被懷疑係共匪公安所害死。

紀年表為共和期
斯朝官場黑如漆
尊行法制遭迫害
怒揭共匪鬼畫皮

紀斯尊（き・すそん）、一九五〇年生まれ。福建の著名な人権擁護弁護士であり、一九八〇年代から社会的弱者のための訴訟をボランティアで手がける一方、中国の民主化と法制化を推進するのに力を注いだ。そのため何度も刑事拘留（拘役）、有罪判決、投獄を受けた。二〇一六年四月、中共の裁判所はいかがわしいことに「社会秩序を乱す罪」および「騒乱挑発罪」で四年半の実刑判決を下した。服役中、健康状態が悪化し、高血圧や糖尿病など多くの病気になったことが検査で分かり、二〇一九年七月一〇日、中共当局が厳しく監視する病院の集中治療室で死亡し、その日のうちに火葬された。享年六九歳。公安に殺害されたとも疑われている。

李旺陽

李氏家譜續新篇
旺盛意志戰共頑
陽光底下鬥惡匪
英雄永生鬼膽寒

李旺陽，一九五〇生，湖南邵陽市人，八九民運中組織邵陽市工人自治會，為此而被共匪抓捕入獄長達二十二年，受盡各種酷刑和人身迫害。而在二〇一二年即將刑滿之前，在獄中被中共害死。他生前在共匪法庭上為自己辯護：「遊行示威、言論自由是憲法賦予人民的權利，我既沒有罪，也沒有錯」。他還留下勵志名言：「為了國家早日進入民主社會，為了中國早日實現多黨制，我就是砍頭，我也不回頭！」。二〇一八年六月六日，李旺陽雕像落成在美國「自由雕塑公園」，受到人們的敬仰和懷念。

李旺陽（り・おうよう）、一九五〇年生まれ。湖南省邵陽市の人。八九年の民主化運動において邵陽市の労働者自治会を組織。民主活動のために二十二年間の長きにわたって投獄され、さまざまな拷問や迫害を受けた。そして二〇一二年の刑期満了直前に獄中で中共に殺害された。彼は法廷で自らを弁護して、「デモや言論の自由は憲法が人民に与えた権利であり、私には罪も過ちもない」と主張した。彼はまた次のような人々を啓発させる名言を残している。「国家が近い日に民主社会になり、近い日に多党制が実現するために、私はたとえ首を斬り落とされても、顔をそむけない！」。二〇一八年六月六日、李旺陽の彫像がアメリカの「リバティ彫刻公園」で落成し、人々の敬意と追悼を受けた。

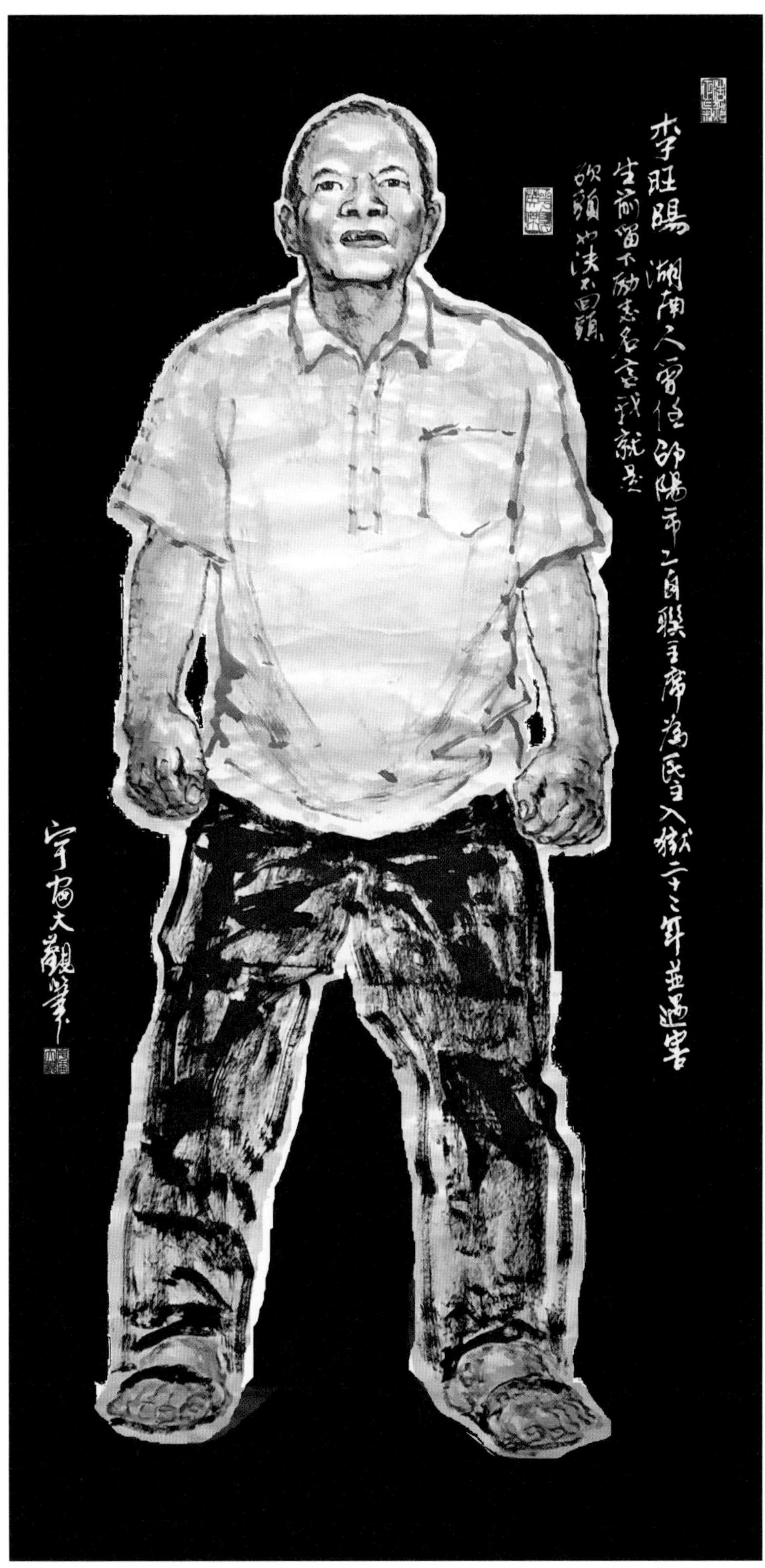
李旺陽　湖南人曾任邵陽市工自聯主席為民主入獄二十二年並遇害
生前留下勵志名言我就是
砍頭也決不回頭
宇宙大觀筆

任志強

任爾包帝發權瘋
志高眼明觀透通
強尊面前說童話
笑指一頭光臀態

任志強，一九五一年生，山東人，企業家。歷任北京市華遠地產董事長等職，持有中國人民大學法律碩士學位。任志強以敢言聞名，有「任大炮」之稱，雖為紅二代，但近年來公開宣揚民主憲政價值觀，批評中共獨裁專制，尤其反對習近平集權當紅色皇帝的動向，公開嘲笑習近平是「剝光了衣服都要當皇帝的小醜」，因而受到了習當局的報復。為談化政治影響，二〇二〇年四月法院當局以經濟問題為由，胡亂判處任志強有期徒刑十八年。

任志強（じん・しきょう）、一九五一年生まれ。山東省の人。実業家で、北京市の華遠地産の会長などを務め、中国人民大学で法学の修士号を取得している。思いきった発言で知られ、「任大砲」と称される。革命世代の共産党幹部の二世であるが、近年は民主・憲政の価値観を公然と提唱し、中共の独裁専制や、特に習近平が権力を集中させて赤色の皇帝になろうとする動きに反対し、習を「裸の王様の道化師」と公然と嘲笑した。そのため習サイドから報復を受けた。二〇二〇年四月、裁判所は政治的影響を弱めるべく経済事件を理由に、任志強に懲役十八年という、いかがわしい判決を下した。

任志強
山東人
一九五一年
生在企業家
歷任北京市
華遠地產董事長 辭職
持有法律碩士學位 因其敢言而以任大炮之稱號 雖為紅二代但近年
多次開言揭民主法制質疑佳觀友對習近平倒退集權發文嘲諷習是
脫光衣服也要當皇帝的小丑而受到習當局報復被判刑十八年
大觀筆

朱虞夫

朱墨審共正壓邪
虞民憂國人中傑
夫持才藝奉華夏
偉岸八丈天地接

朱虞夫，一九五三年生，浙江杭州人，畢業於杭州教育學院中文系，一九七八年底投身杭州民主牆運動，組建民刊《四五月刊》社，此後被當局多次傳喚和抄家。一九八九年聲援民主學運，一九九八年積極籌建民主黨並上街散發傳單，一九九九年九月被中共當局正式逮捕。被以顛覆政權罪判徒刑七年。二〇〇七年五月再次被捕又被判處有期徒刑二年。二〇一一年三月因公開支持中國茉莉花革命又被共匪以「煽顛罪」判處有期徒刑七年。為堅持民主信念共坐牢十六年，現在消息不明。

朱虞夫（しゅ・ぐふう）、一九五三年生まれ。浙江省杭州の人。杭州教育学院中文学科を卒業し、一九七八年末に杭州で民主の壁の運動に參加した。「四五月刊」という民間雑誌社を創設してから、当局に何度も尋問や家宅捜索を受けた。一九八九年に学生運動を支援し、一九九八年には中国民主党の創設に積極的に参加し、街頭でそのチラシを配ったために、一九九九年九月に中共当局に正式に逮捕され、「国家政権転覆罪」で懲役七年の刑を言い渡された。二〇〇七年五月にも逮捕され、懲役二年に処された。二〇一一年三月、中国のジャスミン革命を公然と支持し、「国家政権転覆煽動罪」で懲役七年の判決を受けた。民主の信念を守り続けたことで計十六年もの牢獄生活を強いられ、現在の消息は不明である。

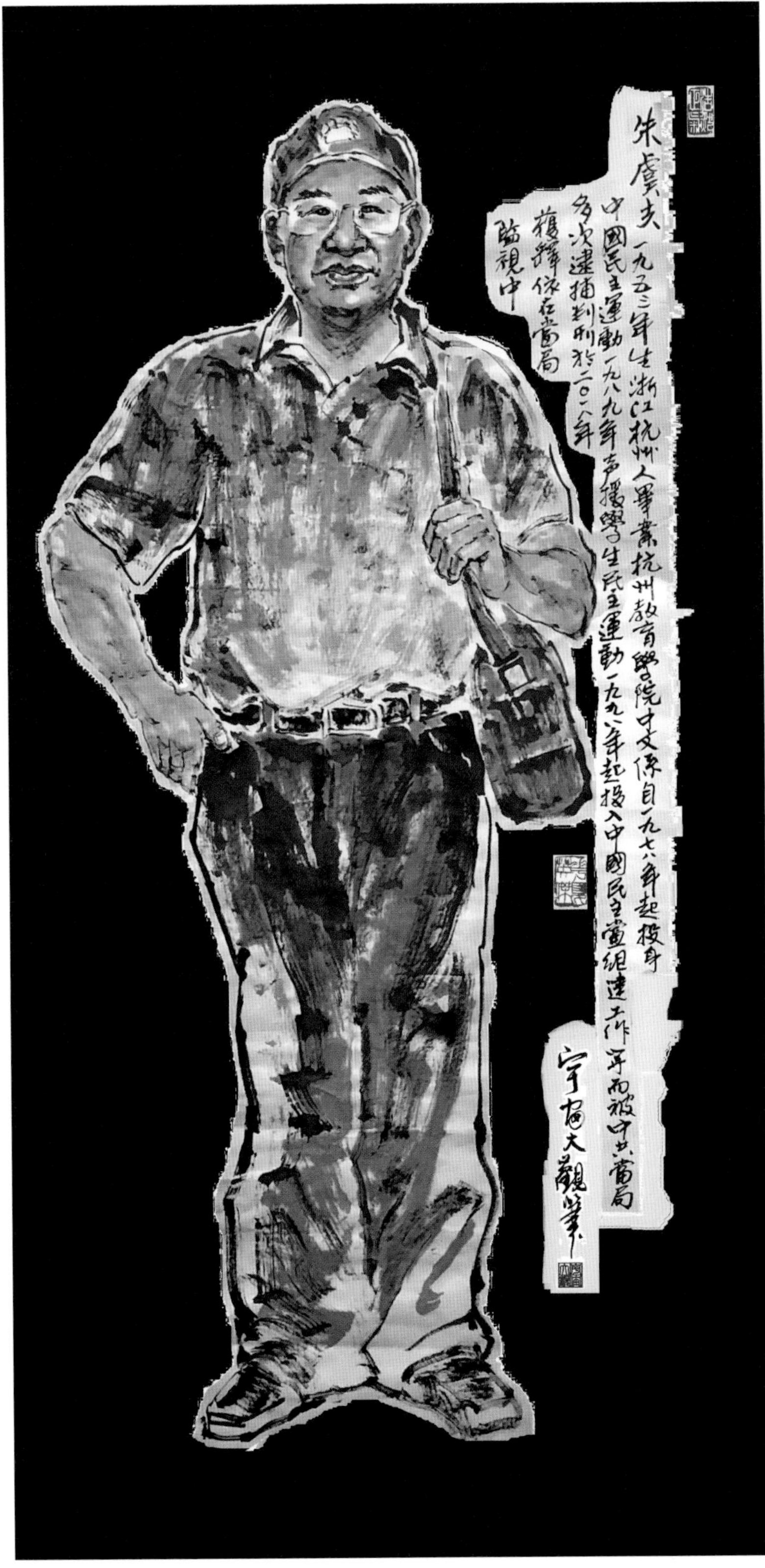
朱虞夫一九五三年生浙江杭州人畢業杭州教育學院中文係自一九七八年起投身
中國民主運動一九八九年声援學生民主運動一九九八年起投入中國民主黨組建工作再而被中共當局
多次逮捕判刑於二〇一八年
獲釋依在當局
監視中
宇宙大觀筆

秦永敏

秦皇舊統延江湖
永為理想追民主
敏銳思想勤奮力
中原魔窟老囚徒

秦永敏，一九五三年生，湖北武漢人，中國著名社會活動家，人權活動家，中國民主黨的創建人之一，中國民間反共領袖。秦永敏為了堅持自己的理念，為了行使言論、出版、結社、包括組黨在內的基本人權，他歷經共匪傳喚、監視居住、行政拘留、收容審查、勞動教養、刑事拘留、逮捕判刑、坐牢等等迫害和抓捕，但他拒絕出國。從一九七〇年到二〇二二年，四十三年間被抓捕三十九次，坐牢二十三年，成為文革以後坐牢時間最長的政治犯。至今消息不明。

秦永敏（しん・えいびん）、一九五三年生まれ。湖北省武漢の人。著名な社会運動家、人権活動家であり、中国民主党の創設者の一人で、中国の民間における反中共の指導者である。自己の理念を堅持し、言論、出版、結社、それに政党の創設を含む基本的人権を行使したために、中共匪賊から取り調べ、居住の監視、行政拘留、収容審査、労働教養、刑事拘留（拘役）、逮捕、有罪判決、投獄などの迫害や身柄拘束を受けた。しかし彼は出国を拒んだので、一九七〇年から二〇二二年までの五十三年間で計三十九回捕まって、二十三年間も投獄されており、文化大革命以後、最も長く投獄された政治犯となった。現在の消息は不明。

秦永敏
中国著名正義人士
因長期关注和從事中國人權而多次被捕三十年内已坐牢二十二年
二〇一八年又被判刑十三年被稱為中國的曼德拉
大觀筆

胡石根

胡君敢當擎旗手
石破天驚響九州
根植大地沐風雨
誠敬上帝明恩仇

胡石根，一九五四年生于江西南昌，一九八三年畢業於北京大學中文系，曾擔任北京語言大學的講師。中國正義政見者、民主活動家、基督徒中國家庭教會長老。一九九一年胡石根參與組建中國自由民主黨，還組建了外圍組織「中華進步同盟」和「中國自由工會籌備委員會」，但被中共當局打壓並多次逮捕判刑，一九九四年十二月，被共匪胡亂判刑二十年，服刑十六年之後獲得釋放。為中國良心政治犯代表人物之一，於國內外有很大影響。目前消息不明。

胡石根（こ・せきこん）、一九五四年江西省南昌生まれ。一九八三年北京大学中文学科卒業後、北京語言大学で講師を務めた。中国において正義を求める政治的見解を持つ者、民主活動家、そしてキリスト教の中国家庭教会の長老であった。一九九一年に中国自由民主党の設立に参加し、その外郭団体である「中華進歩同盟」と「中国自由工会準備委員会」を設立したが、中共当局の弾圧を受けて何度も逮捕、有罪判決を受け、一九九四年一二月には懲役二十年といういかがわしい判決を下され、十六年間服役した後に釈放された。中国の良心の政治犯の代表的人物の一人であり、国内外で大きな影響力を持っていた。現在の消息は不明。

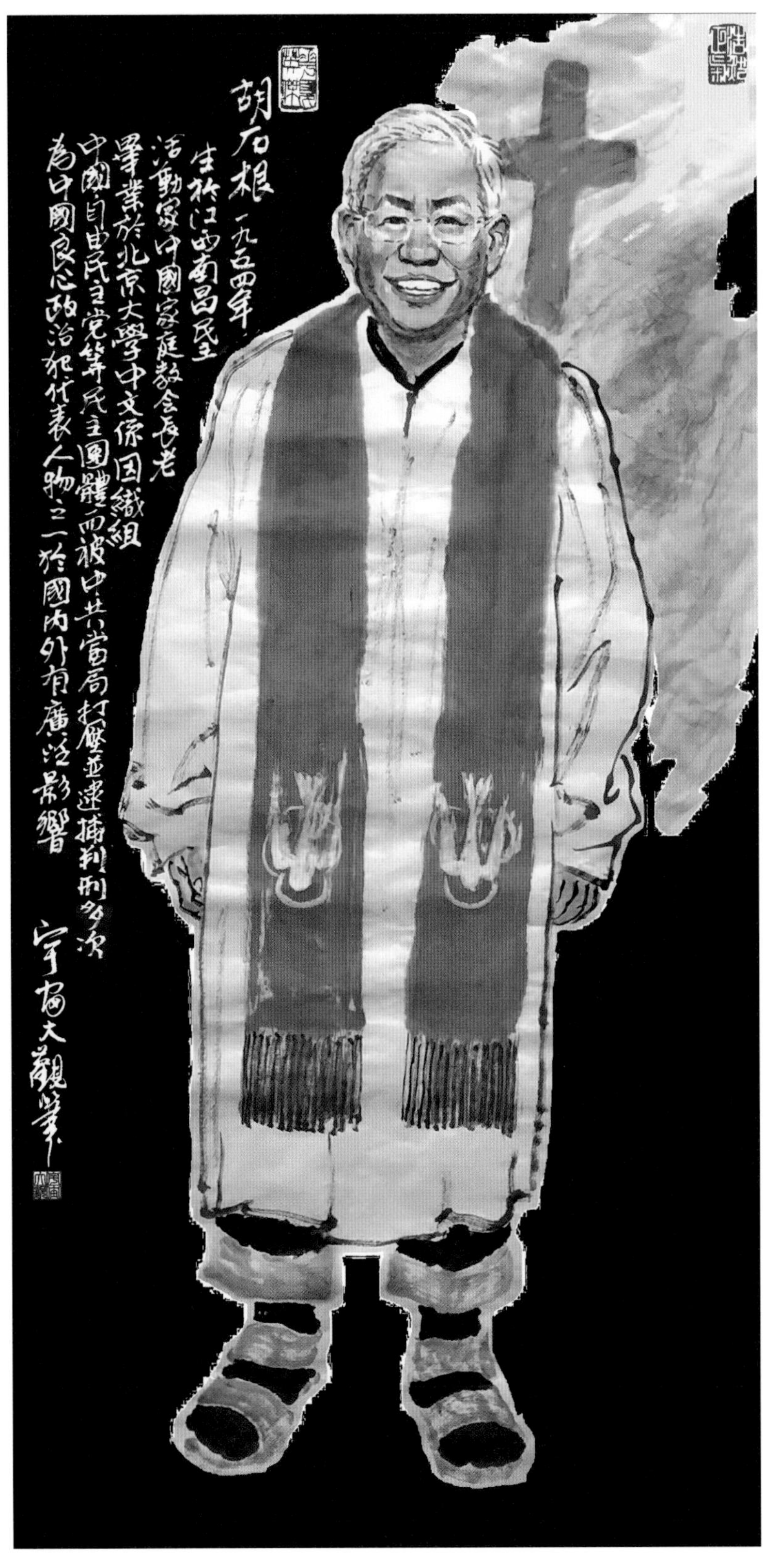
胡石根 一九五四年
生於江西南昌 民主
活動家 中國家庭教會長老
畢業於北京大學中文系 因組織
中國自由民主黨等民主團體而被中共當局打壓並逮捕判刑多次
為中國良心政治犯代表人物之一 於國內外有廣泛影響

徐澤榮

徐澤榮，香港學者，一九五四年生於中國湖北省武漢市，一九九九年獲英國牛津大學政治學博士。原為中共幹部的父母都被中共當局迫害致死。徐澤榮因為研究中共黑暗朝鮮戰爭史以及文革中支持馬來亞共產黨的黑史實，於二〇〇〇年七月被共匪以「洩露國家機密」罪正式逮捕，二〇〇一年十二月被共匪判處十三年監禁。現在生死不明，消息不明。

徐徐長成優秀材
澤澤江湖通四海
榮任秉筆揭偽史
常令巨騙顏面歪

徐沢栄（じょ・たくえい）、一九五四年湖北省武漢市生まれ。香港の学者であり、一九九九年にイギリスのオックスフォード大学で政治学の博士号を取得した。もともと中共の幹部であった両親は、ともに中共当局に迫害されて死亡した。中共の暗黒期である朝鮮戦争史や文化大革命期間にマラヤ共産党を支援した暗黒の史実を研究していたために、二〇〇〇年七月に「国家機密漏洩罪」で逮捕され、二〇〇一年一二月に十三年の実刑判決を受けて投獄された。現在、彼の消息は不明である。

徐澤榮
一九五四年生於湖北省武漢市 香港學者 中共黑黨史和中國近代史
研究者 一九九九年獲英國牛津大學政治學博士 因為多次揭露中共黑暗史
而於二〇〇〇年被中共當局羅織罪名逮捕判刑十三年 徐澤榮父母都因受到殘
酷迫害而去世 徐澤榮的研究揭露了中共黑史罪行 編具在蘇俄支持下
顛覆中華
民國政
府的
具體罪
行證據
而令中
共驚恐萬分
宇宙大觀筆

陳西

陳表真理奉中華
西來邪教不容他
身負道義歷多難
英雄播種民主花

陳西，一九五四年生，貴州人，曾在中共軍隊服役，一九八九年因其支持六四民主運動而被共匪判入獄三年。二〇〇五年再次因支持八九民運又被中共當局判入獄十年，釋放後陳西成立了「貴陽人權討論會」，二〇一一年十月因組織獨立參選區縣人大代表而被警方軟禁數周，同年十一月底被正式逮捕。陳西因支持民主運動三次入獄共服刑二十三年。現在下落不明。

陳西（ちん・せい）、一九五四年生まれ。貴州省の人。中共の軍隊に所属したことがある。一九八九年に六四の民主化運動を支持したために中共当局によって三年の投獄の判決を下された。二〇〇五年にも、八九年の民主化運動を支持したことで再び十年の投獄の判決を下された。釈放後、「貴陽人権討論会」を設立、二〇一一年一〇月、区・県の人民代表大会の選挙に独立候補を立てたことで警察に数週間軟禁状態にされ、同年一一月末に正式に逮捕された。民主化運動を支持したため三回投獄され、計二十三年間服役した。現在の消息は不明。

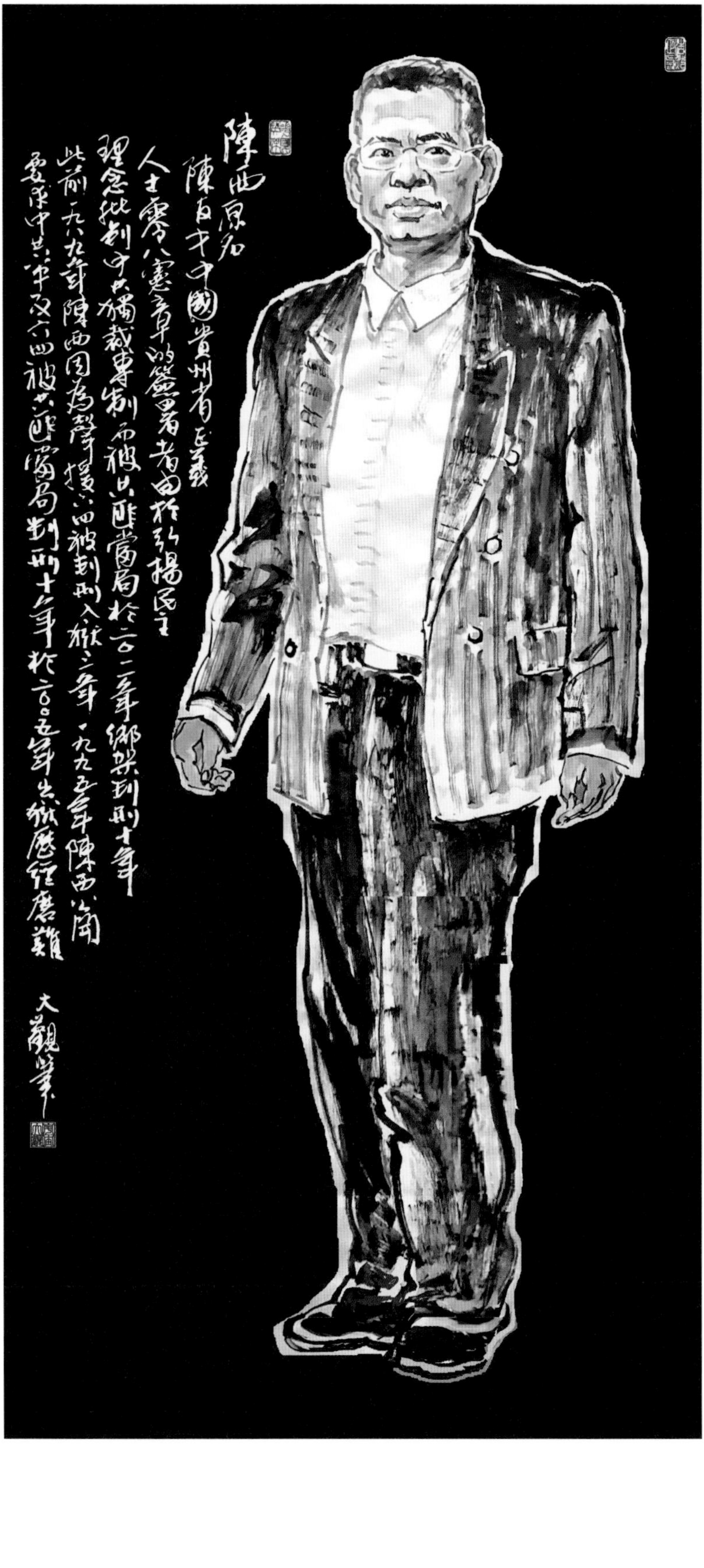

陳西

陳西原名陳有才中國貴州省正義人士零八憲章的簽署者由於弘揚民主理念批判中共獨裁專制而被共匪當局於二〇一一年綁架判刑十年此前一九八九年陳西因為聲援六四被判刑入獄三年一九九五年陳西公開要求中共平反六四被共匪當局判刑十年於二〇〇五年出獄歷經磨難

大觀筆

齊志勇

齊志勇，北京人，一九五六年生，在八九六四事件中被共匪軍槍擊受重傷，左腿高位截肢成了重度傷殘者。後中共當局對他說，只要願意承認腿傷是工傷導致，便可獲十萬元一次性賠償，即被他拒絕。自此以後齊志勇把六四當成他的「新生」，接受外國媒體採訪並積极參與殘疾人維權，二〇〇六年二月齊志勇参加了全國性人權接力絕食活動，二月八日起，被共匪軟禁家中，二〇〇九年四月齊志勇在途中突然被中共當局綁架。現況不明。

齊肩抗暴天安門
志堅身殘活證人
勇氣伴隨講真相
直望青史正華輪

斉志勇（せい・しゅう）、一九五六年五月一五日生まれ。北京の人。六四天安門事件で中共匪賊軍に銃撃されて左足を付け根から切断する重傷を負い、重度の障害者となった。後に中共当局は、足の傷が労災によるものだと認めれば十万元の賠償金を支給すると持ちかけたが、彼は拒否した。以来、六四天安門事件を自らの「新しい生」と捉え、外国メディアのインタビューを受けるとともに、身体障害者の権利擁護活動に積極的に参加した。二〇〇六年二月には全国レベルの人権キャンペーンである絶食活動に參加した。同年二月八日から自宅軟禁状態になり、その さなかの二〇〇九年四月に突然中共当局に拉致され、現在の状況は不明である。

齊志勇 一九五六年生北京人是
一九八九年六四中被共軍重傷致殘
又稱六四抗暴者 由於拒絕無理
要求以所謂賠償而生活艱難
同時作為六四見證人從事維權
活動及接受採訪和發表言論
而受到中共當局的監控
和迫害
宇宙大觀筆

譚作人

譚作人，生於一九五四年，四川省成都人，畢業於華西醫科大學，曾任《文化人》主編、民間組織「綠色江河」副秘書長。二〇〇九年二月起草倡議書，呼籲對四川省汶川大地震遇難學生校舍工程質量進行調查。二〇〇九年三月被中共當局編織罪名拘捕，並於二〇一〇年二月九日被判處徒刑五年，外加剝奪政治權利三年。二〇一四年三月二十七日譚作人刑滿釋放。現況不明。

譚言誓查豆腐渣
作文呼追幕後爪
人命關天非小事
力究瀆職反被抓

譚作人（たん・さくじん）、一九五四年生まれ。四川省成都の人。華西医科大学卒業、《文化人》雑誌の編集長や民間団体「綠色江河」の副秘書長を務めた。二〇〇九年二月、四川大地震で被害に遭った学校校舎の建築の品質についての調査を呼びかける提案書を起草し、二〇〇九年三月、中共当局は罪名を編み出して彼を身柄拘束した。二〇一〇年二月九日、五年間の懲役、三年間の政治権利剥奪の判決が下された。二〇一四年三月二十七日、刑期満了で釈放され、現在の消息は不明。

譚作人
畢業於華南医科大学因呼吁對汶川大地震進行調查等被判刑五年
宇高大觀筆

劉曉波

劉生志憲和理爭
曉曦未明已獻身
波濤洶湧吞諾獎
宏願留待後來人

劉曉波，一九五五年生，吉林長春人，畢業於吉林大學中文系本科，北京師範大學中文系碩士、文藝學博士，曾擔任北京師範大學中文系講師、作家、社會活動家、文學評論家、人權活動家，因積极參與八九民主運動，而後被捕入獄。二〇〇九年十二月被北京共匪法院判刑十一年，二〇一〇年劉曉波在獄中獲得諾貝爾和平獎，二〇一七年七月，劉曉波在獄中被懷疑遭毒殺。中共當局隨即將其遺體匆匆火化並拋屍海洋。作為致力於中國和平轉型的代表人物，永遠控訴共匪暴政的慘無人道。

劉暁波（りゅう・ぎょうは）、一九五五年生まれ。吉林省長春の人。吉林大学中文学科卒業、北京師範大学中文学科で修士号、文芸学博士号を取得。かつては北京師範大学中文学科の講師であり、作家、社会活動家、文学評論家、人権活動家でもあり、一九八九年の民主化運動に積極的に參加し、後に投獄された。二〇〇九年一二月、北京の裁判所から懲役十一年の実刑判決が下され、二〇一〇年に獄中でノーベル平和賞を受賞した。二〇一七年七月、獄中で毒殺された疑いがあるまま亡くなった。中共当局はすぐに遺体を火葬し、海に散骨した。中国の平和的な体制転換に尽力した代表的人物として、彼の悲惨な結末は永遠に中共匪賊の暴政の非人道的悪行を訴えていくものである。

劉曉波 吉林長春人文學評論家人權活動家
北京師範大学博士講師
八九民運重要參与者零八
憲章主要發起人提倡中國
和平民主轉型
宣稱我
沒有敵
人二〇一〇
年獲諾貝
爾和平奬長期
受到中共當局的
監視居住並於二〇
〇九年被中共重判
長期監禁迫害
去世時六十二歲其妻劉霞
也被長期監禁迫害

宇宙大觀記之

何德普

何問荊棘前路行
德修更追信仰真
普及民主勇實踐
敢闖禁區踏匪京

何德普，一九五六年生於北京市，著名民主人士，基督徒。曾在中國社會科學院辦公室工作。參與一九七九年北京「西單民主牆」運動及八九民運，一九九八年參與組建中國民主黨並於一九九〇年代末在中國民主黨人士先後被捕入獄狀況下，接任該黨京津黨部主席，繼續推動民主事業。二〇〇三年被中共當局判刑八年，在獄中遭受酷刑但意志堅強，刑滿出獄後馬上就在監獄外抗議當局。何德普曾於一九九九年寫了《法輪功學員也享有公民權》的文章，當時公開站出來支援法輪功的國內民主人士中也是第一人。現況不明。

何德普（か・とくふ）、一九五六年北京市生まれ。有名な民主活動家で、キリスト教徒である。かつては中国社会科学院弁公室で働いた。一九七九年の北京の「西単民主の壁」運動と一九八九年の民主化運動に参加し、一九九八年には中国民主党の結成に参加し、一九九〇年代末期に中国民主党のメンバーが続々と逮捕・投獄される中、同党京津支部の主席に就任して民主化推進の活動を続けた。二〇〇三年、八年の実刑判決を受け、獄中で拷問を受けるも意志は堅く、刑期が満了して出獄後、すぐに監獄外で当局に抗議を行った。一九九九年には「法輪功学習者も公民権を享受する」という文章を発表しており、当時中国国内で法輪功を支援するために立ち上がった最初の民主活動家である。現在の消息は不明。

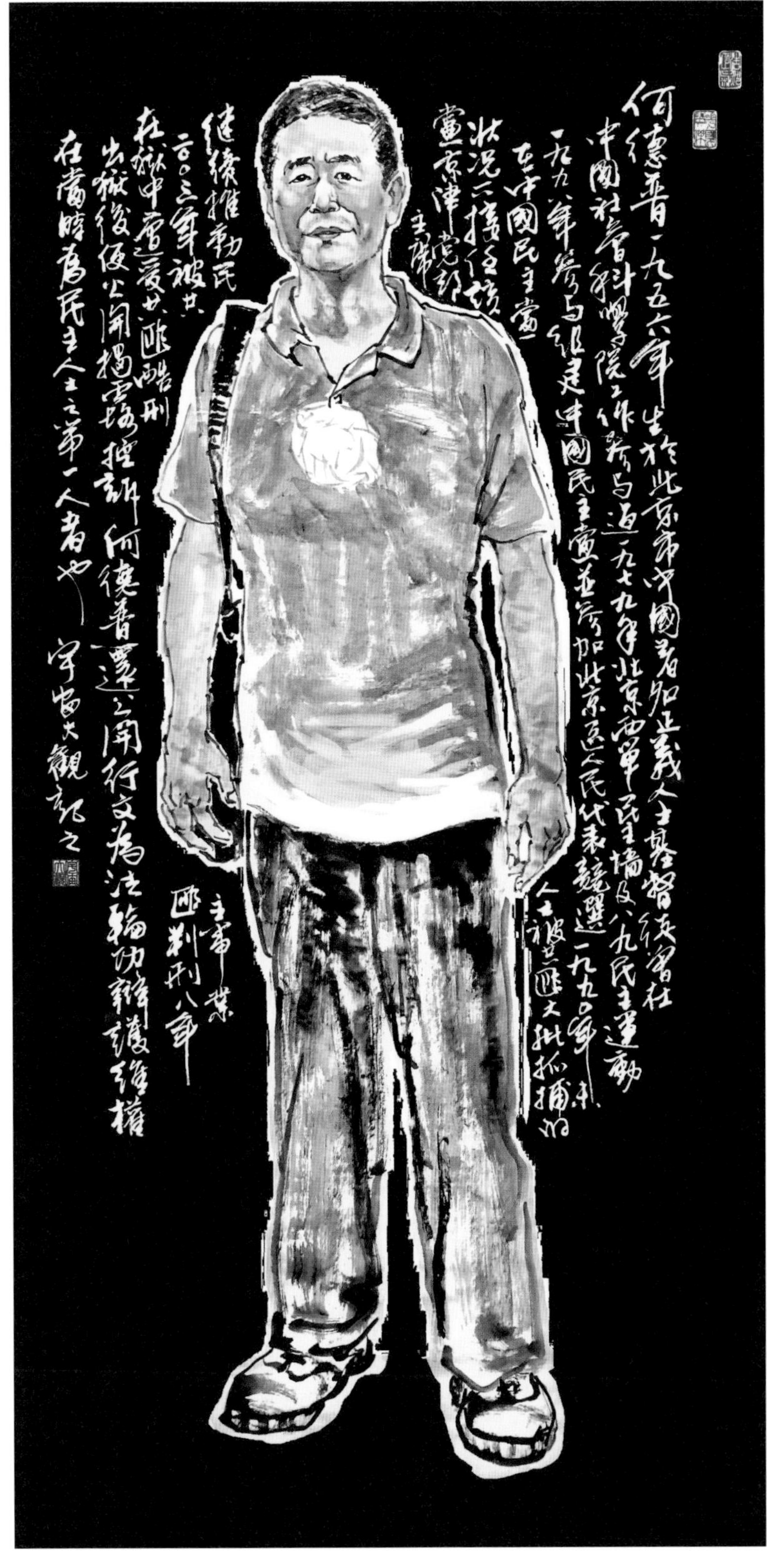
何德普一九五六年生於北京市中國著名正義人士基督徒曾在
中國社會科學院工作參與過一九七九年北京西單民主牆及八九民主運動
一九九八年參與組建中國民主黨並參加北京區人民代表競選一九九八年末
人士被中共大批抓捕的
在中國民主黨
狀況下接任該
黨京津黨部
主席
繼續推動民
主事業
二〇〇三年被中共
匪判刑八年
在獄中遭受中共匪酷刑
出獄後仍公開揭露控訴何德普還公開行文為法輪功辯護維權
在當時為民主人士之第一人者也
宇宙大觀記之

呂耿松

呂氏春秋今續昔
耿直天性表里一
松柏長青風骨在
永為中華奉熱息

呂耿松，浙江杭州人，一九五六年生，一九八三年畢業於杭州大學歷史系，曾在公安專科學校任教，後為自由撰稿人，發表文章針砭時弊，二〇〇〇年在香港出版了《中共貪官污吏》一書。二〇〇七年八月二十四日被中共抄家拘捕，二〇〇八年被中共當局判刑四年，二〇一四年又被中共當局逮捕重判十一年，在獄中身體受到嚴重傷害，為中國民主運動付出了極大的身心代價，也是中共暴政罪惡見證人。現況不明。

呂耿松（りょ・こうしょう）、一九五六年生まれ。浙江省杭州の人。一九八三年に杭州大学歴史学科を卒業、公安専科学校で教鞭をとった後、フリーライターとして時事・社会問題について提言する記事を発表し、二〇〇〇年に香港で『中共貪官汚吏』という書籍を出版した。二〇〇七年八月二四日に中共により自宅を捜索され、捕えられる。二〇〇八年、中共当局から四年の実刑判決を受けた。二〇一四年に再び中共当局に逮捕され、十一年という重い実刑判決を受けた。獄中でひどい怪我を負わされており、中国の民主化運動のために心も体も多大な犠牲を払っている。中共の暴政による罪悪の証人でもある。現在の状況は不明。

呂耿松
浙江杭州人一九五六年生一九八三年畢業於杭州大學歷史系曾在公安專科學校任教
後為自由撰稿人發表文章針貶時弊二〇〇七年被中共當局判刑四年二〇一四年又被中共當局
逮捕重判十一年在獄中身體受到嚴重傷害
宇焰大觀筆

彭明

彭明，一九五六年生，湖北天門人，一九八一年彭明自湖北農學院畢業後，任職湖北省農業科學院，原為中國航空通用電器集團總經理，北京城建集團董事長等企業職務。一九九八年六月彭明組建以獨立知識份子為主體的「中國發展聯合會」，主張中華聯邦主義，後被共匪當局取締。二〇〇〇年出國，致力於在中國實現自由民主、結束中共一黨專制而積極活動，二〇〇四年五月在緬甸被中共特務綁架回中國大陸，二〇〇五年十月被共匪法院判處無期徒刑，二〇一六年十一月二十九日在獄中被共匪迫害去世，年僅五十歲。

彭家才俊人中雄
明昭心志天下公
不辭犧牲蹈湯火
朽木前頭望蔥籠

彭明（ほう・めい）、一九五六年生まれ。湖北省天門の人。一九八一年に湖北省農学院を卒業後、湖北省農業科学院に勤務。その後、中国航空通用電器集団の総経理、北京城建集団の会長などを務めた。一九九八年六月、中共から完全に独立している知識人が中心になった「中国発展連合会」を設立し、中華連邦主義を主張したが、後に取り締まられた。二〇〇〇年に海外に出て、中国で自由と民主を実現させ中共一党独裁体制を終わらせるための活動に尽力した。二〇〇四年五月、ミャンマーで中共特務機関に拉致され、中国に連れ戻された。二〇〇五年一〇月、無期懲役の判決を下された。獄中で中共匪賊の迫害を受け、二〇一六年一一月二九日に死去。五〇歳の若さだった。

彭明 原為中國航空通用電氣集團總經理北京城建集團董事長於二〇〇九年
出國致力於實現自由民主普選結束一黨專制後被中共特務綁架並被判處無期徒刑
二〇一六年被迫害去世

力虹

力搏專制爭自由
虹耀理想高昂頭
英才遇害英名在
魂系華夏斥共流

力虹，原名張建紅，一九五八年生於浙江寧波，著名詩人、作家，曾任文學雜誌主編、寧波作家協會副秘書長等職務，發表過小說及劇本多數。一九八九年參與組織聲援民主運動赴北京天安門廣場，六四屠殺發生後，力虹公開抗議中共暴行被寧波中共當局拘押勞教三年。二〇〇六年加入獨立中文筆會因常發表文章批判中共一黨獨裁專制，二〇〇七年遭到當局逮捕判刑六年。二〇一〇年六月在監獄中受盡折磨而身患重疾，又被當局延誤治療而去世，時年五十二歲。是為共匪迫害志士仁人的罪例之一。

力虹（りき・こう）、本名張建紅（ちょう・けんこう）、一九五八年浙江省寧波生まれ。著名な詩人、作家。文学雑誌の編集長や寧波作家協会の副秘書長などを歴任し、小説や戯曲を多数発表した。一九八九年、民主化運動の組織的支援に加わり、北京の天安門広場に入った。六四天安門事件の虐殺が発生した後、中共の暴行に公然と抗議したため、寧波の中共当局によって労働教養施設に三年間送られた。二〇〇六年に独立中文ペンクラブに加入し、中共の一党独裁専制を批判する文章を頻繁に発表したため、二〇〇七年に逮捕され、六年の実刑判決を受けた。二〇一〇年六月、監獄で虐待されたために重病になり、さらには中共当局が治療を遅らせたため、五二歳で死亡した。中共匪賊による志士仁人に対する迫害の罪の例の一つである。

力虹
原名張建紅一九五八年生於浙江寧波著名詩人作家及維權人士曾任文學雜誌主編主持詩壇及任
寧波作家協會副秘書長累職發表小說及劇本多數二〇〇六年加入獨立中文協會發表文章批判中共獨裁
專制而被中共當局逮捕判刑六年在監獄受迫害中罹難病而逝世享年五十二歲

張寶成

張寶成，一九五九年生，人權活動家，曾參與「茉莉花運動」、「新公民運動」和「要求官員公示財産」、聲援許志永、聲援郭飛雄、「抗議中共七〇九對維權律師大抓捕事件」等活動。他反對一黨獨裁，要求建立公平、公開、公正的社會民主制度。一九七八年起多次被綁架關押判刑，曾遭受酷刑逼供、電擊生殖器、毆打、虐待等迫害，獲釋後被抄家五次以上。二〇一九年五月被中共當局以「尋釁滋事罪」拘留，七月四日被逮捕，關押一年後判刑三年六個月，張寶成當庭表示不服。自由世界的輿論認為這是不公正的判決。

張目紅朝盡荒唐
寶瑰文明遭毀傷
成者為霸敗被寇
馬列邪教造國殤

張宝成（ちょう・ほうせい）、一九五九年生まれ。人権活動家。「ジャスミン運動」、新公民運動や、「幹部の資産の公示の要求」活動、「許志永を支援する」活動、「郭飛雄を支援する」活動、「七月九日の人権擁護弁護士の一斉摘発事件に抗議する」活動などに参加した。一党独裁に反対し、公平、公開、公正の上で成り立つ社会民主制の確立を要求している。一九七八年以来、数多く拉致、拘束、実刑判決を受けており、電気ショックによる性器への暴行、殴打、虐待などの迫害を受けた。釈放後も自宅が五回以上捜索された。二〇一九年五月に中共当局によって「騒乱挑発罪」で身柄拘束、七月四日に逮捕され、一年間入獄した後、懲役三年六か月の判決が下されたが、従えない意向をその場で示した。自由世界の世論は公正でない判決だとみなしている。

張寶成，一九五九年生，中國著名人權活動家。曾多次參加爭取公民運動。反對一黨專政，主張建立多黨共和，為中華民主網絡之士。

宇宙大觀筆

鄭貽春

鄭貽春，一九五九年生，遼寧營口人，作家、詩人，正義人士，因在海外網站上發表文章評論時政批評中共獨裁惡政，而遭中共當局打壓迫害。二〇〇五年十二月被共匪法院以煽顛罪判處七年徒刑，身心受害。二〇一八年去世，時五十九歲。二〇〇五年十二月鄭貽春榮獲首屆國際人權獎。國際保護記者協會和無國界記者組織都曾呼籲釋放鄭貽春。當年全世界總共有七〇人因為在互聯網上發表意見而遭到政府拘捕，其中六十二人在中共國。中共迫害人權邪惡記錄可見一貫。

鄭重行事勤行文
貽贈華章醒迷魂
春風盼吹化冰雪
播得良知育新人

鄭貽春（てい・いしゅん）、一九五九年生まれ。遼寧省営口の人。作家、詩人、正義を求める人。海外のウェブサイトで時事・政治についての評論を発表し、中共独裁の悪政を批判したため、中共当局に弾圧、迫害された。二〇〇五年一二月、「国家政権転覆煽動罪」で懲役七年の判決を言い渡されて身体的、精神的苦痛を受け、二〇一八年に五九歳で亡くなった。二〇〇五年一二月には第一回ヒルデブランド国際人権賞を受賞しており、ジャーナリスト保護委員会や国境なき記者団は彼の釈放を呼びかけていた。その年、世界ではインターネット上での発言のために政府に捕まった者が七十人いたが、そのうち六十二人は中国においてであった。中共の人権侵害の邪悪な記録はどこにでも表れているのである。

敢
先
鄭貽春
鄭貽春 一九五九年生 遼寧營口人 作家詩人 多年在海外網站上發表
針砭時弊 批判共匪獨裁的文章 二〇〇五年被共匪當局以煽動顛覆罪判刑七年
二〇一八年鄭貽春在共匪迫害 下去世 年五十九歲
敢為天下先的鄭貽春為 追求民主與自由屢受共匪迫害
無論肉體精神 還是物質都損失巨大 但坦蕩
面對至死 不渝
宇宙大觀筆

魯德成・喻東嶽・余志堅

魯難未已在慶父
喻比商紂更歹毒
余夢常鞭毛屍碎
先知先勇開先途

魯德成、喻東嶽和余志堅，三位來自湖南省瀏陽市的青年，一九八九年五月二十三日下午二時將天安門上的毛澤東像潑顏料污損，並主張完全推翻中國共產黨，建立民主政府。三人於天安門城樓上懸掛「五千年專制到此可以告一段落」和「個人崇拜從今可以休矣」的標語，在思想上走到了當時學生運動的前頭。後魯德成、喻東嶽和余志堅分別被共匪法院判處十六年、二十年有期和無期徒刑，成為八九一代反共反毛的先鋒，吹響了時代的號角。

魯徳成（ろ・とくせい）、喩東嶽（ゆ・とうがく）、余志堅（よ・しけん）の三人は湖南省瀏陽市から来た青年。一九八九年五月二三日午後二時に天安門の毛沢東像を塗料で汚した上、中国共産党を完全に打倒し民主政府を樹立することを主張した。三人は天安門城楼に「五千年の専制はここで終わりを告げる」および「個人崇拝はこれからやめよう」のスローガンの垂れ幕を掲げており、思想的には当時の学生運動の先頭に達していた。後に魯徳成、喩東嶽、余志堅は、それぞれ十六年、二十年、無期の懲役刑の判決が下され、八九世代の反共・反毛の先鋒となって、時代の先陣の合図を響かせた。

反毛三勇士来自湖南的
鲁德成 喻东岳 余志坚
三人於一九八九年
五月廿三日向
天安門上巨
幅毛賊画像潑墨
提昇了八九民
運的政治
高度 三人
還掛出標語
五千年專制可以告一
段落 個人崇拜可以休矣
宇宙大観筆

陳雲飛

陳雲飛，一九六〇年代出生，一九九〇年畢業於北京農業大學，八九民運參與者。二〇〇七年六四十八周年當天，在《成都晚報》上刊登廣告：「向堅強的六四遇難者母親致敬」而被共匪綁架，監視居住半年。二〇一一年因中國茉莉花革命被軟禁家中。二〇一五年又為六四事件中的死難學生掃墓後，在返回的路上被一百多名持槍匪警帶走，後被中共當局以「尋釁滋事罪」開庭審理。二〇一九年九月因為支援香港反送中運動又被中共當局抓走，下落不明。二〇二一年十二月獲得中國民主教育基金會（CDEF）頒發的第三十五屆「傑出民主人士獎」。

陳情民意訴公理
雲霧重重蔽光熙
飛越時空追理想
民主英魂祭心底

陳雲飛（ちん・うんひ）、一九六〇年代生まれ。一九九〇年に北京農業大学卒業、八九年の民主化運動の参加者。二〇〇七年の六四天安門事件十八周年の記念日に、「強く生きる六四犠牲者の母親に敬意を表する」という広告を「成都晩報」に掲載したため、身柄拘束され、半年間監視下に置かれた。二〇一一年には、中国ジャスミン革命のために自宅軟禁された。二〇一五年、六四天安門事件で亡くなった学生の墓参から帰る途中、またも百人以上の武装した警察に連行され、「騒乱挑発罪」で裁判にかけられた。二〇一九年九月、香港の逃亡犯条例改正案反対デモを支援したため再び中共当局に連行され、消息不明になる。二〇二一年一二月には、中国民主教育基金会（CDEF）から第三十五回傑出民主人士賞を授与された。

陳雲飛
四川維權人士
畢業於北京農業大學
八九民運參与者因在郫縣祠堂向堅強的六四遇難者母親致敬
而被中共迫害判刑民眾贊其俠肝義膽熱心腸身體力行勇擔當
请中共官员公布财产
虚心接受人民监督
宇宙大觀筆

曹順利

曹輩出衆女菁英
順理循法維權行
利為天下求公義
明星速隕因酷刑

曹順利，生於一九六一年，曾就讀北京大學，獲法學碩士。在中共國勞動人事部工作時因控訴政府機關貪污腐敗濫用職權，而被解除公職，此後走上維權之路，常為訪民提供法律支持。二〇〇八年底曹順利發起「北京維權之旅」活動，並收集上千份個案資料而受中共當局打壓，二〇〇九年後被中共警察綁架勞教多次。二〇一三年九月十四日曹順利應邀準備赴日內瓦参與聯合國人權理事會會議時，在機場被匪警抓走，後被以「尋釁滋事罪」逮捕。在羈押中受到酷刑虐待健康急劇惡化，於二〇一四年三月十四日去世，年僅五十三歲。

曹順利（そう・じゅんり）、一九六一年生まれ。北京大学で法学の修士号を取得。中共の国の労働人事部で働いていたが、政府機関の腐敗汚職や職権の乱用を告発したために公職を解かれ、その後は人権擁護の道を歩み、常に陳情者たちを法律面で支援していた。二〇〇八年末、「北京人権擁護の旅」活動を開始し、一千件を超える案件資料を収集したため中共当局から弾圧を受け、二〇〇九年以降、何度も警察に身柄拘束され、労働教養施設に送り込まれた。二〇一三年九月一四日、国連人権理事会の会議に参加するためジュネーブに行こうとしたが、空港で警察に連れ去られ、後に「騒乱挑発罪」で逮捕された。入獄期間中、拷問や虐待を受けて健康状態が急激に悪化し、二〇一四年三月一四日に亡くなった。享年五三歳。

曾順利 生於一九六八年 曾於北京大學就讀法學碩士學歷
曾任勞動人事部工作因揭發政府機關貪污腐敗等而被解除
公職後走上維權道路
常為訪民提供
法律幫助
二〇〇八年底
曾順利發起
維權運動受
到共匪打壓迫害
多次被勞教 二〇一三年九月
曾順利準備赴日內瓦參加聯合國人權會議時在北京機場被共匪綁架
和羈押後在看守所被共匪迫害去世
大觀筆

楊天水

楊州金陵江南春
天筆在手書弘文
水流柔淌志破壁
才子罹難得永生

楊天水，本名楊同彥，一九六一年生於江蘇省泗陽縣，一九八二年北京師範大學歷史系畢業，曾任教師和公務員，著名正義作家，八九六四民運親歷者，一九九〇年與人成立「中華民主聯盟」，以及以後參與組建中國民主黨，而多次被中共當局迫害逮捕，二〇〇五年被中共重判十二年。而於二〇一七年即將刑滿釋放之前，突然被查出罹患腦疾晚期，救治無效於同年十一月去世，隨即被中共當局秘密強制海葬，外界多疑係被中共毒殺。

楊天水（よう・てんすい）、本名楊同彦（よう・どうげん）、一九六一年江蘇省泗陽県生まれ。一九八二年に北京師範大学歴史学科を卒業し、教師や公務員を経て、正義を求める著名な作家になった。八九年の六四民主化運動も経験している。一九九〇年に共同で「中華民主連盟」を設立し、その後、中国民主党の結成に携わった。そのため、何度も中共当局から迫害、逮捕された。二〇〇五年、中共から十二年という重い実刑判決を下され、二〇一七年に刑期満了で釈放を迎える前に突然、末期の脳疾患という検査結果が出され、治療の甲斐なく、同年一一月に死去した。彼の遺体は中共当局によって一方的に秘密裡に海葬されており、中共に毒殺されたと疑う向きも多々ある。

楊天水 一九六一年生
江蘇省泗陽縣人曾在
擔任教師與公務員著名異
見作家獨立中文筆會會員
六四民主運動親歷者為中國民主黨
籌籌組人多次被中共當局迫害逮捕
二〇〇五年被重判十二年於二〇一七年即將刑滿之前突然被查出患腦疾晚期救治
無效而於二〇一七年十月去世隨即被當局強制秘密海葬
宇宙大觀筆

許章潤

許身國民非許黨
章華豈為謀稻粱
潤澤旱土呼憲雨
海闊天空難丈量

許章潤，一九六二年生，中國法學家，清華大學法學院教授，清華大學法制與人權研究中心主任，二〇〇五年被評為全國十大傑出青年法學家。二〇一八年公開發表網文【我們當下的恐懼與期待】，批判二〇一七年以來中國政治和社會的倒退突破底線，提出警惕極權回潮，制止個人崇拜，恢復國家主席任期制度，實施官員財產陽光法案，平反六四冤案等建議，而於二〇一九年三月受到中共當局打壓迫害，被撤銷一切職務並遭侮名陷害。

許章潤（きょ・しょうじゅん）、一九六二年生まれ。法学者、清華大学法学院教授、法制・人権研究センターの主任を務めていた。二〇〇五年には「全国トップテン青年法学者」に選ばれた。二〇一八年にインターネット上で「我々の目下の恐怖と期待」という文章を発表し、二〇一七年以来、中国の政治と社会の後退がボトムラインを越えたと批判、全体主義への回帰の潮流に警鐘を鳴らし、個人崇拝のとりやめ、国家主席の任期制の回復、幹部の資産を公開する法案の実施、六四天安門事件などの冤罪事件の見直しなどを提唱した。そのため、二〇一九年三月から中共当局の弾圧、迫害を受け、すべての職務を解任され、さまざまな侮辱や人格攻撃を受けた。

許章潤 一九六二年生中國法學家清華大學法學院教授
清華大學法治與人權研究中心主任安徽廬江人二〇〇五年被評為
全國十大傑出青年法學家二〇一八年許章潤公開發表網文我們當下的
恐懼與期待 批判二〇一七年以來中國政治於社會的倒退突破底線提出警惕極權
回歸 制止個人
崇拜 恢
復國
家主席任
期制實施
官員財產陽
光法案平反六四等
建議而於二〇一九年三月受到共匪當局打壓迫害被撤銷一切職務等

宇宙大觀 記之

沈良慶

沈良慶，一九六二年生，安徽合肥人，中國著名正義人士，曾任職於検察院。早在一九八四年起便投身民主運動，創辦民間刊物，宣揚自由人權與普世價值，一九八九年七月至一九九二年四月，參與領導安徽省的民主運動。一九九三年被中共當局迫害判刑一年半，並一直受到中共流氓騷擾，他曾出版《雙規》一書批評中共，令中共又恨又怕，但受到人民的敬佩。

沈深大愛獻中華
良知直通普世家
慶事只待民主現
一路披荊斬惡茬

沈良慶（しん・りょうけい）、一九六二年生まれ。安徽省合肥の人。正義を求める有名な活動家であり、検察院で働いていたこともある。早くも一九八四年から民主化運動に身を投じ、民間雑誌を創刊して、自由、人権、普遍的価値を提唱した。一九八九年七月から一九九二年四月まで、安徽省の民主化運動にリーダーとして参加した。一九九三年、中共当局の迫害を受けて一年半の実刑判決を受け、長らく中共のゴロツキによる嫌がらせを受けた。『双規』という本を出版して中共を批判しており、中共には恨まれ、恐れられてもいるが、人民からは尊敬されている。

沈良慶 安徽合肥人 中國言論正義人士 曾任職于檢察院 早在一九八零年便投身民主運動 創辦民間刊物 大學生與社會宣傳 自由人權 與華世偉 等組建

一九九三年 就被中共政權迫害 判刑一年半 並一直受到中共打擊 逼沈良慶閉口不阿 就連合共匪又恨又怕

抗議中共耍流氓 還我人權 小伙伴 快回家！

人權

宇宙大觀筆

方斌

方剛血氣為民噴
斌才滿開護華輪
忠義入心古聖在
勇劍直劈馬列門

方斌，一九六二年生，祖籍武漢，從小深受中華傳統文化薰陶，深愛岳飛楊家將等忠勇故事人物，一九八四年文科畢業後到北京打拼，又於二〇一九年回武漢創業，適逢武漢新冠大瘟疫爆發，親赴現場播報真相，而受到中共警特騷擾，方斌大義凛然號召全民反抗中共專制暴政，後被中共綁架，下落不明，人間消失，共匪不審不判，司法黑暗無底。

方斌（ほう・ひん）、一九六二年生まれ。原籍は武漢。小さい頃から中華の伝統文化の薫陶を受け、岳飛、楊家将など忠勇で名をなした人物を愛した。一九八四年に大学の文科系を卒業してから北京で懸命に働き、二〇一九年に武漢に戻って起業した。新型コロナウイルスの大流行が始まったタイミングであり、現地に赴き真相を報じたため、中共の警察や特務機関に嫌がらせを受けたが、毅然とした態度で、全国民に中共専制による暴政に抵抗することを呼びかけた。その後、中共に拉致され、消息不明となった。中共匪賊は正規に裁くこともなく人間を消失させてしまうわけで、司法の闇はどこまでも深いものである。

黃琦

黃鐘毀棄瓦釜鳴
琦瑋良玉遭暴凌
孝子為民織天網
老母惜兒獨悲情

黃琦，一九六三年生，四川人，畢業於四川大學無線電子系，一九九九年設立「六四天網」網站。由於登載了批評時政的文章，二〇〇〇年六四前黃琦被匪警逮捕關押三年，後被共匪法院判處五年刑。二〇〇六年黃琦刑滿後出獄創辦了綜合性人權組織。二〇〇八年中國汶川大地震後，黃琦在網上撰文揭露「豆腐渣」工程，六月黃琦又被共匪判處徒刑三年。二〇一六年十一月黃琦又被中共當局逮捕，二〇一九年七月共匪法院又判決黃琦徒刑十二年，沒收個人財產二萬元，為堅持公民正當權利，黃琦遭到反覆判刑，成為共匪迫害人權的典型案例之一。

黃琦（こう・き）、一九六三年生まれ。四川省の人。四川大学無線電子学科卒業。一九九九年に「六四天網」というウェブサイトを立ち上げ、時事・政治について批判的な記事を掲載したため、二〇〇〇年の六月四日の前に警察に逮捕され、三年間投獄された後、五年の実刑判決を下された。二〇〇六年に刑期満了で出獄すると、人権全般に関わる組織を設立した。二〇〇八年の四川大地震の後、インターネット上で建築工事のずさんさをおからの崩れやすさに喩えた「豆腐渣」建築を暴露する文章を掲載し、同年六月に再び懲役三年の判決を下された。二〇一六年一一月、さらにまた逮捕され、二〇一九年七月、裁判所は懲役十二年、個人資産二万元没収の判決を下した。公民としての正当な権利を主張し続けたことで幾度も刑罰を下されたことは、中共による人権迫害の典型的な犯罪行為の一つである。

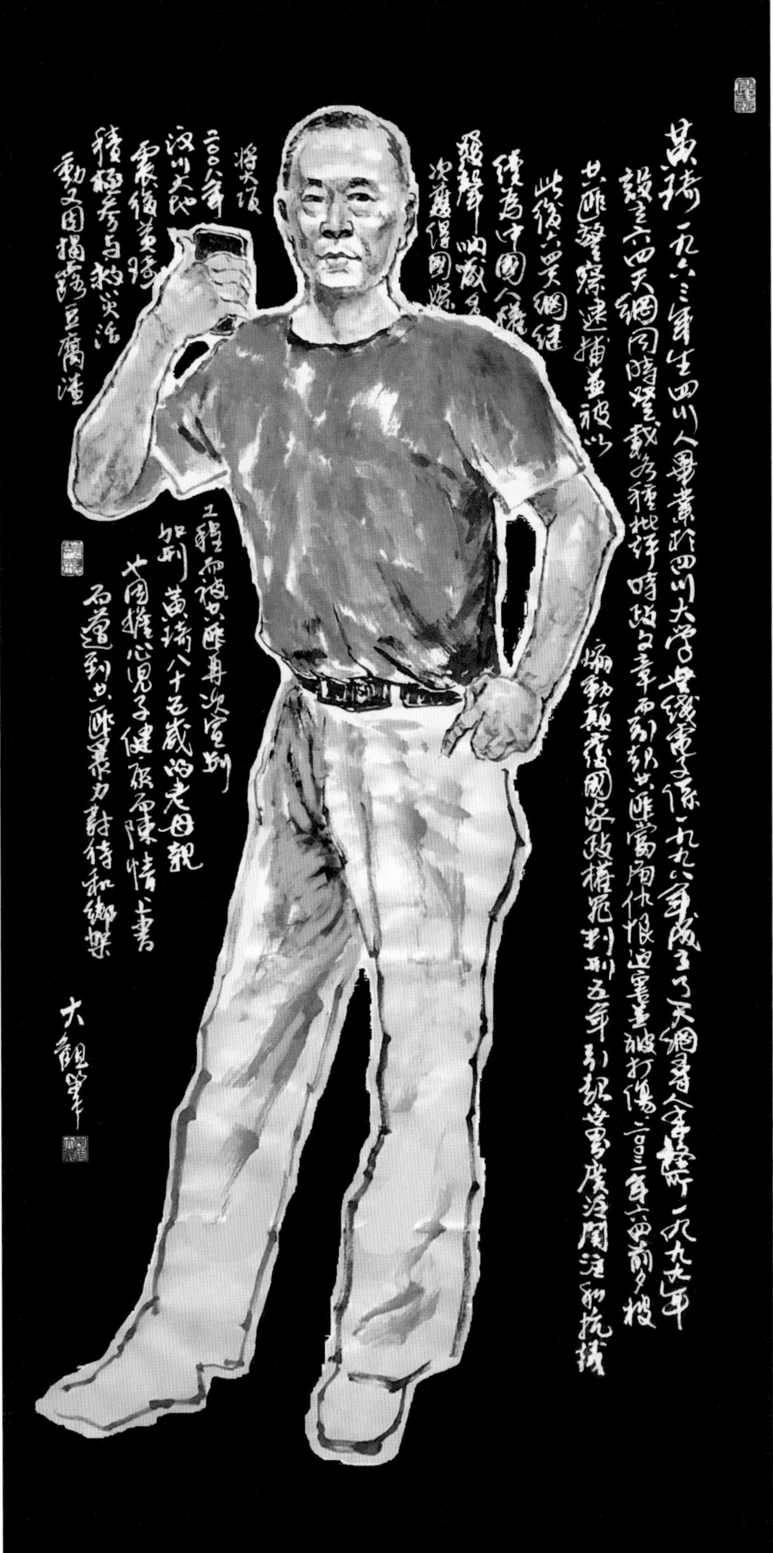
黃琦一九六三年生四川人畢業於四川大學無線電子係一九九八年成立了天網尋人事務所一九九九年
設立六四天網同時登載各種批評時政文章而引起共匪當局仇恨迫害並被打傷二〇〇〇年六四前夕被
共匪警察逮捕並被以
煽動顛覆國家政權罪判刑五年引起世界廣泛關注和抗議
此後六四天網繼
續為中國人權
發聲吶喊多
次獲得國際
獎項
二〇〇八年
汶川大地
震後黃琦
積極參與救災活
動又因揭露豆腐渣
工程而被共匪再次重判
加刑 黃琦八十五歲的老母親
也因擔心兒子健康而陳情上書
而遭到共匪暴力對待和綁架
大觀筆

高智晟

高貴氣格越凡庸
智勇盡顯宏文中
晟景守護不容惡
巨人何在問蒼穹

高智晟，一九六四年生，陝西省榆林市佳縣人，自學完成中國人民大學法律課程，一九九六年起執業律師工作，長期為弱勢民眾維權辦案，曾被中共司法部評選為中國十大律師之一，二〇〇五年洗禮成為基督徒並宣佈退出中共。由於公開發表文章批判中共暴政敦促中共改善人權而遭中共多次綁架並被施酷刑。國際社會關注並要求中共當局無條件釋放高律師，至今下落不明，無處詢問。高智晟曾三次獲諾貝爾和平獎提名。

高智晟（こう・ちせい）、一九六四年生まれ。陝西省楡林市佳県の人。中国人民大学の法律課程を独学で修め、一九九六年から弁護士業務に従事し、長期間にわたって社会的弱者の権利擁護の案件に取り組んだ。中共の司法部から中国のトップテン弁護士に選ばれたこともある。二〇〇五年、クリスチャンの洗礼を受け、中共からの脱退を宣言。中共の暴政を批判し人権面での改善を求める文章を公開したために、中共に数多く身柄拘束され拷問を受けた。国際社会が注目するところとなり、中共当局に彼の無条件釈放を要求したが、今に至るも消息は不明で、消息を尋ねる手がかりもない。三度にわたってノーベル平和賞にノミネートされている。

高智晟 一九六四年生陝西省榆林市佳縣人自學
完成中國人民大學法律課程
一九九六年起執業長期為弱勢
群體維權曾被中共司法部
選為中國十大律師
二〇〇五年洗禮成
為基督徒並
宣佈退出中共
由於公開發表文
章批判中共暴政
敦促中共改善人權
而遭中共多次綁架並
被施酷刑國際社會關注並
要求中共當局無條件放人至今下落
不明曾三次獲諾貝爾和平獎提名
宇宙大觀記之

周世鋒

周遭不公敢挺身
世間不平勇發聲
鋒芒專指獨裁黨
君子磨難洗紅塵

周世峰，一九六四年出生於河南安陽縣，北京大學法學博士、澳門科技大學法學博士，中國著名維權律師，自一九九五年起執業專職律師，因秉持公義代理多個維權案件而遭中共當局迫害，於二〇一六年被中共非法逮捕判刑七年。現在依然處境艱難。

周世峰（しゅう・せいほう）、一九六四年河南省安陽県生まれ。北京大学の法学博士号とマカオ科技大学の法学博士号を取得。著名な人権擁護弁護士。一九九五年から専業の弁護士として活動し、公義のために多数の人権擁護案件を扱ったことで、中共当局から迫害を受け、二〇一六年に不法逮捕され、七年の実刑判決を受けた。現在の境遇は困難なままである。

周世鋒 北京大學法學博士澳門科技大学法學博士中國著名維權律師
一九六四年出生河南安陽縣人自一九九五年起執業因代理多個維權案件
而遭中共當局迫害於二〇一六年被中共當局非法逮捕
並被判刑七年
代表证
宇宙大觀筆

徐琳

徐來清風波不驚
琳琅才華民意興
詩書歌曲多豪放
鞭撻赤鬼正人心

徐琳（じょ・りん）、一九六四年生まれ。湖南省株洲の人。詩人、哲学者、インターネット作家、独立中文ペンクラブ会員。民主的な正義を求める人物として、中共匪賊にわけもなく迫害されてきた。九〇年代末から時事・政治に関する文章、詩、歌曲などを発表し始め、二〇一〇年からは広州、深圳などの街頭で立て札を持って演説したり、市民集会を主宰したりした。近年に創作した自由、民主、法制をテーマにした歌曲は、好評を得て愛されているが、そのために中共当局から厳しいコントロール下に置かれ、迫害を受けた。二〇一二年、国家政権転覆煽動罪で投獄されたが、屈しなかった。現在は消息不明。

徐琳，一九六四年生，湖南株洲人，詩人、哲學工作者，網路作家，獨立中文筆會會員，作為民主正義人士遭共匪無理迫害。徐琳自九十年代末開始撰寫時政文章、詩歌及歌曲等，二〇一〇年起在廣州深圳等地街頭舉牌演講，組織公民集會。近年來他創作的以自由民主法制為主題的歌曲受到好評和歡迎，因而遭到中共當局的嚴控和迫害。二〇一二年被共匪當局以煽顛罪名關押，但他不屈服。現在下落不明。

徐琳 一九六四年生湖南株州人 詩人哲学工作者網絡作家獨立中文筆会会員民主正義人士被共匪迫害
徐琳自九0年代末開始撰写時政文章詩歌及歌曲等二0一0年始又在廣州深圳等地開展街頭舉牌演講組織公民聚會近年來徐琳創作的以自由民主法制為内容的歌曲深受好評和喜愛因此受到共匪當局的嚴控与迫害二0一二年被共匪當局以煽顛罪名关押迫害但其正義的詩与歌曲得到廣泛流傳
大観筆

陳樹慶

陳樹慶，一九六四年生，浙江人，畢業於浙江大學，正義作家，中國民主黨浙江籌委會成員。由於在網路上發表文章被共匪當局除名公職。二〇〇六年九月被共匪拘留起訴。二〇〇七年七月，對於中共法院拒絕認罪，並表示不承認中共合法性。二〇〇七年八月被當局法院判有期徒刑四年，二〇一六年六月再次被重判十年六個月。現在消息不明。

陳陳相襲求革新
樹人百年育精英
慶有目標喜有志
華夏有幸得此君

陳樹慶（ちん・じゅけい）、一九六四年生まれ。浙江省の人。浙江大学卒業、正義を求める作家であり、中国民主党浙江準備委員会の一員だった。インターネット上で発表した文章がもとで中共当局により公職を解かれた。二〇〇六年九月、刑事拘留（拘役）、起訴された。二〇〇七年七月、裁判所に対し罪を認めず、さらに中共の合法性を認めないことを表明した。二〇〇七年八月、懲役四年の判決が下された。さらに二〇一六年六月にも懲役十年六か月の重い実刑判決が下された。現在の消息は不明。

陳樹慶一九六四年生中國浙江正義作家中國民主黨黨員
畢業於浙江大學由於常在網絡上發表文章弘揚民主批判共匪獨裁
而遭受迫害二〇〇六年被共匪
御用判刑陳樹慶拒絕認罪拒絕承認中共
政權二〇〇七年
被共匪當
局偽法
院以煽
顛罪判刑
四年二〇一六
年再次被共
匪御用再次判刑十年見證了共匪的殘暴
以及中國民主黨人的堅貞不屈

李必豊

李殿詩文多正果
必揚中華斥黄俄
豊文薈萃鼓民主
君子礪艱敢浴火

李必豊，一九六四年出生於四川三台縣，原為四川綿陽市稅務局幹部，自由作家、詩人，獨立中文筆會會員。一九八九年八九六四事件後，因組織遊行被判刑五年，出獄後繼續參與民主運動。一九九八年再次被捕，被中共當局以反革命宣傳煽動罪迫害，二〇〇萬字的文稿被中共匪警搜去，他依然堅持不懈進行地下寫作，兩次被抓坐牢十二年，後出獄現況不明。

李必豊（り・ひっほう）、一九六四年四川省三台県生まれ。元四川省綿陽市の税務局の幹部。政府から独立した作家・詩人、独立中文ペンクラブのメンバー。一九八九年の六四天安門事件後、デモ行進を組織したために五年の実刑判決を受けるも、出獄後も続けて民主化運動に参加した。一九九八年に再び逮捕され、中共当局によって「反革命宣伝煽動罪」で迫害され、二百万字の原稿を警察に没収された。それでも立場を改めることなく地下で執筆活動を続け、獄中に二度、合わせて十二年間もいた。後に出獄し、現況は不明。

李必豐
一九六四年出生於四川三台縣自由作家獨立中文筆會
會員早在一九八九年民主運動時就被共匪以反革命宣傳煽動罪迫害
曾有二百萬字的手稿被匪警搜去依然不懈進行地下寫作
先後三次入獄
共坐牢十二年
於最近出獄
作為中國民
主運動的
硬漢受到國
內外人士的敬佩
宇宙大觀筆

齊崇懷

齊天大志擔道義
崇尚自由追真理
懷抱明燈揭腐敗
賢君睥睨黑匪痞

齊崇懷，一九六五年出生山東省鄒城市，原為山東省新聞記者、職業新聞人，先後為山東工人報、人民公安報記者。二〇〇三年擔任中國安全生產報山東記者站站長、法制早報事業發展部山東辦事處主任等職。二〇〇七年因在雜誌發表了批評前中共總理文章被捕入獄，被判刑四年。在監獄服刑期間，又把監獄裡面的黑暗，寫成系列報導傳至境外發表，被加刑八年，合併入獄十二年。二〇一八年二月十三日出獄後，即面臨失去工作和妻離子散的境況，成為中共黑暗獨裁制度迫害記者的代表罪行之一。受到國際關注。

斉崇懐（せい・すうかい）、一九六五年山東省鄒城市生まれ。もとは山東省の新聞記者で、山東工人報や人民公安報で記者を務め、二〇〇三年には中国安全生産報の山東記者ステーションの所長、法制早報の事業発展部山東事務所主任などを務めた。二〇〇七年に雑誌で中共の前首相を批判する記事を発表したため捕えられ、入獄し四年間の実刑判決が下された。服役中、監獄内部の暗黒面を一連の報道記事にし、さらには国外でも発表したため、刑期が八年追加され、十二年になった。二〇一八年二月一三日に出獄。出獄後は仕事を失い、妻子も離散してしまっており、中共の暗黒の独裁が記者を迫害した代表的な犯罪行為の一つとして国際的にも注目されている。

齊崇懷 前山東省新聞記者因在雜誌上發文揭露官員腐敗
而遭到黑司法迫害入獄十年之多獄中遭受了酷刑折磨
和死亡威脅出獄後面臨生存工作
和妻離子散
由於剛直不阿堅持講真相
而屢遭逮捕
繼續迫害
害成為
中共踐踏
迫害記者
罪行的代表性例證
之一受到國際關注

浦志強

浦帆啟航目標遠
志在公理降人間
強立信念堅柔骨
水滴石穿自等閒

浦志強，一九六五年生，河北唐山市灤縣人，著名維權律師。六四民主運動天安門廣場參與者，曾為北京市華一律師事務所律師，公開主張廢除勞教制度及妥善解決六四事件等。因常代理維權辯護案件，而多次遭到中共匪警綁架，二〇一三年二月公開實名舉報共匪大頭目周永康，而於二〇一四年六月被當局逮捕，二〇一五年十二月被判有期徒刑三年，翌年四月被中共司法局吊銷律師資格。二〇二〇年十二月，又被當局法院無理審判加罪迫害。

浦志強（ほ・しきょう）、一九六五年生まれ。河北省唐山市灤県の人。著名な人権擁護弁護士。一九八九年、天安門広場での六四民主化運動の參加者。北京市華一弁護士事務所に所属し、労働教養制度の廃止と六四天安門事件の適切な解決を公けに主張するなどした。常に人権擁護の弁護活動をしてきたために警察に何度も身柄拘束された。二〇一三年二月、中共匪賊の大ボスであった周永康の犯罪行為を実名で公けに告発し、二〇一四年六月に逮捕され、二〇一五年一二月に懲役三年の刑を受け、翌年四月には中共の司法局から弁護士資格を剝奪された。二〇二〇年一二月にも裁判所はわけもなく新たな罪を加えて迫害している。

浦志強
中國著名律師畢業於中國政法大學積極主張廢除勞教制度
主張妥善解決六四事件支持建立法制社會和憲政體制為此
被中共判刑迫害並被剝奪律師資格
宇宙大觀筆

郭飛雄

郭城難阻自由心
飛越高牆凌匪營
雄鷹展翅八萬里
笑傲黃俄逐糞蠅

郭飛雄，本名楊茂東，一九六六年生於湖北省谷城縣，一九八八年畢業於上海華東師範大學哲學系，參與了八九民主運動，為中國新公民運動和南方民主運動領導者之一。郭曾發表政見：反憲政者皆國賊也，還要求中共官員公佈財產。前後多次遭到中共當局逮捕關押，二〇一五年被中共當局重判六年徒刑，曾經獲得多項國際民主獎項。被中共當局禁止出國。

郭飛雄（かく・ひゆう）、本名楊茂東（よう・もとう）、一九六六年湖北省谷城県生まれ。一九八八年に上海華東師範大学哲学科を卒業し、八九年の民主化運動に参加した。中国新公民運動や南方民主運動のリーダーの一人。憲政に反する者は国賊であるとの政治的見解を発表し、中共幹部の資産の公開を要求もしている。その前後において中共当局に多数にわたって逮捕、拘束され、二〇一五年には懲役六年の重い刑を言い渡された。民主に関する国際的な賞を多数受賞している。中共当局は彼の出国を禁止している。

郭飛雄
本名楊茂東一九六六年生於湖北省谷城縣一九八八年畢業於上海華東師範大學哲學係
參與八九民主運動是中國新公民運動和南方民主運動領導者之一郭曾言反憲政者皆國賊也
要求中共官員公佈財產而四次遭中共當局關押二〇一五年又被中共當局重判六年
曾獲多項國際民主獎
宇宙大觀記之

方政

方長廣場天安門
政治血案刻傷痕
年年六四年年祭
華英反共無斷層

方政，一九六六年生，安徽合肥人，一九八九年畢業於北京體育學院，即積極投入天安門民主運動，一九八九年六月四日淩晨於長安街被共匪軍隊坦克壓斷雙腿，二〇〇九年被營救到海外，後到美國獲得政治庇護，並獲「言論自由鬥士獎」，為紀念六四事件年年奔波於世界各地，被稱為六四鎮壓的活見證人。

方政（ほう・せい）、一九六六年生まれ。安徽省合肥の人。一九八九年に北京体育学院を卒業。同年の六四民主化運動に積極的に加わり、一九八九年六月四日の明け方、長安街で中共匪賊軍の戦車に両足を潰された。二〇〇九年に海外に救い出され、やがてアメリカで政治的庇護を受け、言論自由闘士賞を受賞した。六四天安門事件の記憶を残すために年じゅう世界各地を駆け回っており、「六四鎮圧の生き証人」と称される。

方政 一九六六年生安徽
合肥人畢業於北京體育學院六四民運
人士一九八九年六月四日凌晨於長安街被
中共軍隊坦克壓斷雙腿後到美國獲
政治庇護為紀念六四事件而奔波於世界各地
被稱為天安門事件活見證人
大觀筆

李化平

李化平，一九六六年出生於湖南省漣源市，一九八三年進入成都理工大學，一九八七年本科畢業後回到湖南省工作，一九九六年後定居上海市，投身於中國的民主化事業和維權活動，為多名受到共匪迫害的正義人士發聲。網路作家雲遊四方，信仰基督教，宣導公民運動。二〇一二年起多次被中共當局綁架判刑，二〇一四年十二月合肥市共匪法院宣判李化平「聚眾擾亂公共場所秩序罪」判處李化平有期徒刑二年，而李化平在法庭上慷慨陳述「一代人要負起一代人的責任」，正氣凌然，令人感動和欽佩。現況不明。

李氏家門一精英
化緣修行求真情
平生只追公天下
常為蒼生淚滿襟

李化平（り・かへい）、一九六六年湖南省漣源市生まれ。一九八三年成都理工大学に入学、一九八七年に同大学を卒業後、湖南省に戻って働く。一九九六年以降は上海市に定住し、中国の民主化のための事業や人権擁護活動に身を投じてきた。中共匪賊に迫害された正義を求める多くの人々の声を伝えるために、インターネット作家として各地を行脚し、キリスト教を信仰し、公民運動を広めようとしてきた。二〇一二年以降、多数にわたり身柄拘束され、裁判を受けた。二〇一四年一二月には合肥市の裁判所で「群衆動員公共場所秩序騒乱罪」で懲役二年の判決を受けたが、彼は法廷で意気軒昂に「われわれの世代の人間はわれわれの世代の人間の責任を負わねばならない」と述べて公明正大で威厳がある態度を示し、人々を感服させた。現在の状況は不明。

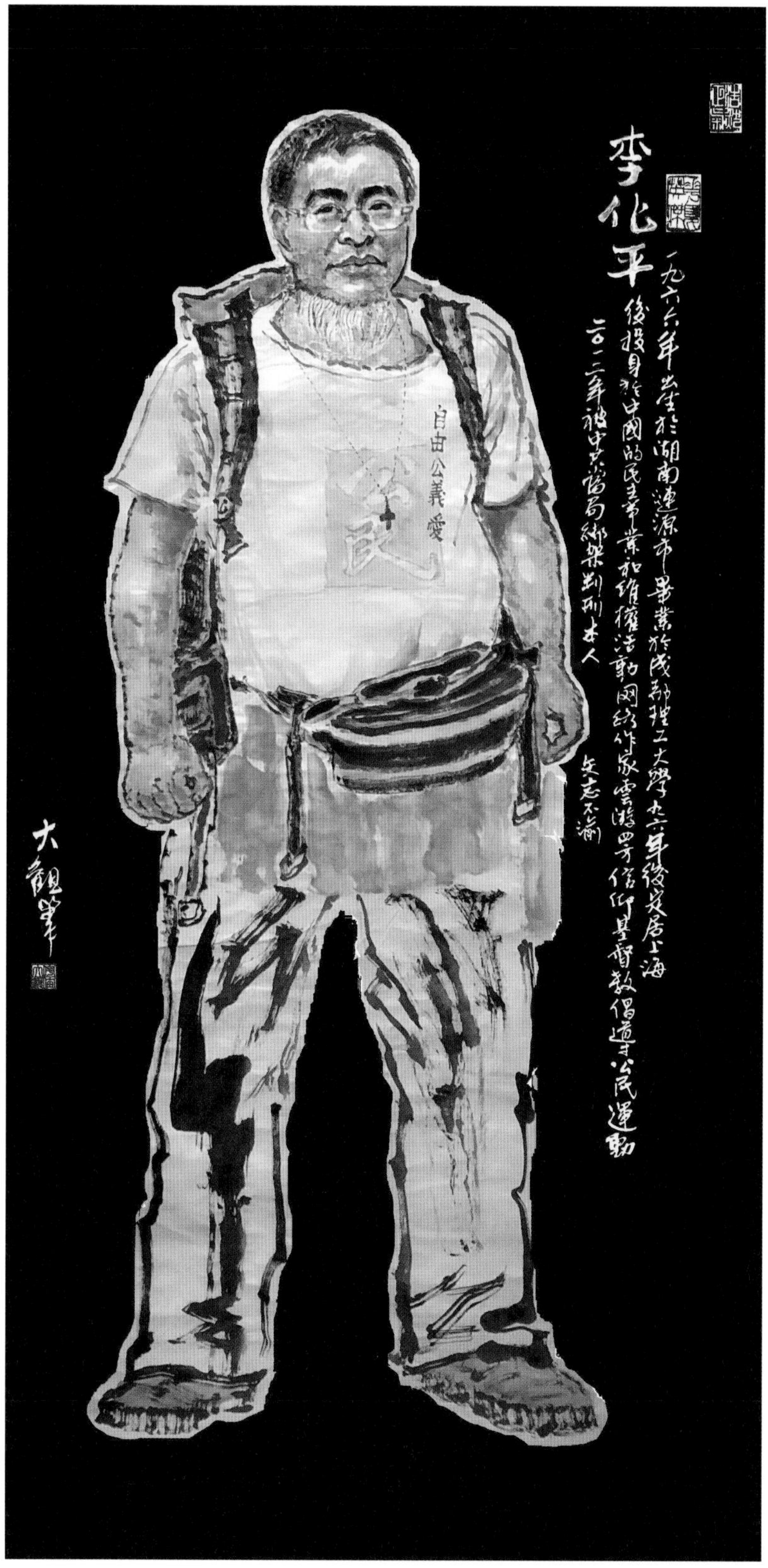
李化平
一九六六年出生於湖南漣源市畢業於成都理工大學九六年後定居上海
後投身於中國的民主事業和維權活動網絡作家雲游四方信仰基督教倡導新公民運動
二〇二二年被中共當局綁架判刑本人
矢志不渝
自由公義愛
大觀筆

余文生

余文生，一九六七年生，北京大學法學學歷，北京專業律師，勇敢代理多起法輪功學員辯護案件，並代理七〇九大逮捕被捕律師維權辯護，因而遭到中共當局打壓迫害，於二〇一八年被中共當局註銷律師證。並因宣導修憲改革，又被中共當局抓捕並被控以煽動顛覆國家政權罪，家屬憂心他可能遭當局酷刑，成為被國際關注的受害良心人士。二〇二一年二月獲馬丁・恩納爾斯人權捍衛者獎。

余力不遺盡獻身
文才為公奉律文
生自高貴言自信
厲斥法氓響雷聲

余文生（よ・ぶんせい）、一九六七年生まれ。北京大学法学部の学歴を持つ。北京で専業の弁護士として、勇敢にも、法輪功学習者や、大勢の人権擁護関係者が拘束された七〇九事件で逮捕された弁護士の弁護を担当し、中共当局の弾圧や迫害を受けた。中共当局から二〇一八年に弁護士資格を剥奪された。さらに憲政改革を提唱したために中共当局に捕えられ、「国家政権転覆煽動罪」で起訴された。家族は彼が中共当局の拷問を受けていることを心配しており、国際的に注目されている良心の囚人被害者である。二〇二一年二月にはマーティン・エナルズ人権保護者賞を受賞した。

余文生 一九六七年生 北京大學法學學歷 中國北京
專業律師勇於代理多起法輪功學員辯護案件並
代理七〇九大逮捕被捕
律師維權辯
護而遭當局
打壓迫
害於二
〇一八年被當
局注銷律師
證並因呼籲遵守憲
法改革而被當局抓捕並被控以
煽動顛覆國家政權罪
成為被國際關注的良心犯
宇楠大觀筆

于世文・陳衛

于門不凡出賢人
世稀雙肩擔道承
陳表真相祭六四
衛華守宗發天聲

人稱「民運夫婦」的于世文和陳衛，二人都出生於一九六七年。八九民運發生時，他們均就讀於廣州中山大學，共同為民主運動奔走呼號，後來都被中共當局迫害入獄。出獄後，他們仍然繼續從事民主活動，為舉辦六四公祭而屢遭中共迫害。他們以「永不忘記，永不放棄」為座右銘互相激勵。現在，他們被當局強制消聲，近況不明。

「民主化運動夫婦」と呼ばれる于世文（ゆ・せいぶん）と陳衛（ちん・えい）は、ともに一九六七年生まれ。八九年の民主化運動発生の際、二人は広州の中山大学に在学中であり、ともに民主化運動に奔走し声を張り上げた。後に中共当局の迫害を受けて投獄されたが、出獄後も依然として民主化の活動に従事し続け、六四犠牲者の公葬を開催したために中共にたびたび迫害された。彼らは「永久に忘れず、永久に放棄しない」を座右の銘とし、互いに励まし合っている。現在、彼らは中共当局によって沈黙を強いられており、近況は不明。

民運夫婦于世文陳衛 二人都出生於一九六七年
八九民運發生時均就讀於
廣州中山大學
共同為民主
運動奔走呼
號後都被中
共當局迫害
入獄出獄後
繼續從事民
主活動舉行
六四公祭而屢遭
中共迫害以永不忘記
永不放棄為座右銘互相激勵
宇宙大觀筆

郭泉

郭泉，一九六八年生，原南京師範大學文學院副教授，曾擔任國營企業幹部，政府官員及法官。二〇〇七年十二月十七日自行創立「中國新民黨」及在網上公開致信中共表示反對一黨專制，又參與維權活動而於二〇〇八年十一月遭中共當局逮捕判刑，二〇〇九年十月十六日，宿遷市當局以荒唐無稽的顛覆國家政權罪判處他徒刑十年，但郭泉在獄中依然豪氣滿滿地稱：將坐牢當工作。刑滿釋放後二〇二二年十二月又因為公開批評中共當局防疫失策而被匪警綁架逮捕。

郭超城壁獨飛思
泉湧湍湍現天姿
自製漢服自立黨
豪言堂堂批權私

郭泉（かく・せん）、一九六八年生まれ。元南京師範大学文学院副教授。国営企業の幹部、政府職員、司法関係の仕事を務めた。二〇〇七年一二月一七日、自ら中国新民党を立ち上げ、インターネット上で中共の一党独裁に反対する公開書簡を発表、さらに人権擁護活動にも參加しており、二〇〇八年一一月に中共当局に逮捕され、二〇〇九年一〇月一六日、宿遷市の中共当局は「国家政権転覆罪」で懲役十年という荒唐無稽な判決を下した。獄中でもひるむことなく、獄中生活が自分の務めだと言ってのけた。刑期満了で釈放後の二〇二二年一二月、中共当局の感染防止対策の失敗を公然と批判したことで再び警察に身柄拘束、逮捕されている。

鄭泉 一九六八年生原為南京師範大學文學院副教授
曾担任國民新黨政府官員及法官 因創立中國新民黨
及在网上公開致信中共頭子表示反對一黨專制參与維權
運動而遭中共當局逮捕判刑在獄中 依然志滿氣足
稱將坐牢當作工作
宇宙大觀筆

高蓉蓉

高潔信仰導人生
蓉蓉柔美守善真
不畏匪徒千般惡
只為世間萬樹春

高蓉蓉，一九六八年生，原為遼寧某藝術學院的會計師，一九九九年因修煉法輪功被免職。高於二〇〇三年七月被匪警抓捕到龍山勞教所。在羈押中被匪警酷刑折磨了六、七個小時，她的面部和頸部被電棒電擊至傷痕累累面目全非。高蓉蓉試圖逃跑而從二樓的窗戶跳下，致全身多處骨折而被送往醫院。二〇〇五年三月再次被共警綁架。由於高蓉蓉對外揭露了當局酷刑真相而令共匪打手暴怒，更加瘋狂迫害她，二〇〇五年六月十六日高蓉蓉終被酷刑摧殘死亡，時年僅三十七歲。

高蓉蓉（こう・ようよう）、一九六八年生まれ。遼寧省のある芸術大学で会計士を務めたが、一九九九年に法輪功の修練をしたために免職された。二〇〇三年七月に匪賊警察に捕まり、龍山労働教養所に送られた。入獄期間中、匪賊警察からの六、七時間にわたる拷問に苦しめられ、顔や首を電気棒で感電させられて、おびただしい傷が残る変わり果てた姿になった。彼女は脱走を試みて二階の窓から飛び降り、全身の多数の箇所に骨折を負い、病院に搬送された。二〇〇五年三月、再び警察に拉致された。中共当局の拷問の真相を外部に暴露していたことが中共匪賊の暴力者の怒りを買い、彼女への迫害はいっそう激しさを増し、二〇〇五年六月一六日、拷問で痛めつけられて死亡した。三七歳の若さだった。

師濤

師從聖賢持有恒
濤聲排空掃烏雲
真言真相顯天道
弘傳八方勤筆耕

師濤，一九六八年生於寧夏，新聞記者、詩人、作家，一九八六年考入上海華東師範大學政治經濟學專業，一九九四年起，在陝西《消費者導報》、《法制日報》等媒体任記者、編輯、編輯部主任等。因報導官員貪污腐敗的消息和為海外媒体《民主論壇》撰稿，以及二〇〇五年公佈中共當局關於六四事件十五周年維穩的通知，被中共安全局拘捕。共匪法院以泄漏國家機密罪判處十年徒刑。二〇〇五年十月，國際組織「保護記者委員會」將年度「國際新聞自由奬」頒給在獄中的師濤。二〇〇六年又獲多個國際奬項。二〇一三年八月二十三日獲釋。現下落不明。

師涛（し・とう）、一九六八年寧夏回族自治区生まれ。新聞記者、詩人、作家。一九八六年に上海華東師範大学の政治経済学専攻に進学、一九九四年から陝西省の消費者導報、法制日報など多数のメディアで記者、編集者、編集部主任などを務めた。官僚の汚職や腐敗を報じ、海外メディアの「民主論壇」にも寄稿し、さらに二〇〇五年には六四天安門事件十五周年にあたっての中共当局の取り締まりに関する通知文書を明らかにしたため、中共の安全局に捕まった。裁判所は「国家機密漏洩罪」で懲役十年の判決を下した。二〇〇五年一〇月、国際組織「ジャーナリスト保護委員会」はその年の「国際ニュース自由賞」を獄中の彼に授けた。二〇〇六年にも多くの国際的な賞を受賞した。二〇一三年八月二三日に釈放され、現在は消息不明。

師濤
一九六八年生於寧夏 新聞記者
詩人作家 畢業於上海華東師範大學 一九九四年起在消費者導報 法制日報等多
家媒體擔任記者編輯等職 還出版有多本詩集 並為海外民主論壇等撰稿 為獨立中文筆
會的成員 二〇〇五年因報導當地官員腐敗內幕而遭共匪迫害被捕並判刑十年
同年十月六日國際保護記者委員會將國際新聞自由獎頒給在獄中的師濤
大觀筆

唐吉田

唐吉田，一九六八年生於吉林省，一九九二年畢業於東北師範大學，二〇〇四年通過律師資格考試。後在上海等地從事律師工作，主要為被強制拆遷受害者、上訪者等弱勢群體維權，以及為法輪功案件辯護。二〇〇八年簽署了劉曉波發起的《零八憲章》。二〇〇九年六四前夕被共匪警察綁架並關押，二〇一〇年四月，被共匪司法局吊銷律師執照。然唐吉田繼續向中共當局最高法院和檢察院發出呼籲，要求國家充分保障人權。二〇一一年二月遭到共匪警察黑頭套綁架，拘禁中受到虐待和酷刑，還患上肺結核。二〇二一年六月，唐吉田準備前往日本探望病重女兒，但再度被共匪警察阻攔，引起國際關注。

唐人後裔道統傳
吉相為民爭人權
田園播種盼正果
除草須鏟共雜完

唐吉田（とう・きつでん）、一九六八年吉林省生まれ。一九九二年東北師範大学卒業、二〇〇四年弁護士資格試験に合格。その後、上海などで弁護士として活動し、主に強制立ち退きの被害者や陳情者など社会的弱者の権利擁護、および法輪功の案件の弁護を手がけた。二〇〇八年には劉暁波が中国の民主化を求めて発起したインターネット上の署名活動「〇八憲章」に署名した。二〇〇九年の六四天安門事件二十周年の前夜に、警察に拉致、投獄された。二〇一〇年四月、司法局から弁護士資格を剥奪されたが、引き続き最高裁判所や検察院に呼びかけて、国が人権を十分に保障するよう求めた。二〇一一年二月、警察に黒い袋をかぶせられて拉致され、拘束中に拷問や虐待を受け、結核に罹る。二〇二一年六月、重病の娘を見舞いに日本に行こうとするも再び警察に妨害され、国際的に注目された。

唐吉田 一九六八年生於吉林省敦化市 東北師範大學政治系畢業
中國大陸律師 社会活動家 常住北京 多次爲土地被非法徵用受害者、
愛滋病受害者 法輪功信仰者捍衛言論自由 捍衛公民政治權利
以及其他弱勢群體
維權 由此
屢受共匪當
局迫害 二〇一〇
年被當局吊
銷律執照 此後
繼續活躍於維權領域 二〇二一年遭共匪黑頭套綁架
後又受到匪警酷刑虐待身體受到嚴重傷害 二〇二二年六月
欲去日本探望病重女兒遭到共匪阻攔
大觀筆

姜野飛

姜有老辣人有勇
野田花草亦爭榮
飛身騰越境內外
才華如劍戰匪兇

姜野飛，一九六八生，四川成都人，八九民運參與者，後積极參加維權運動，二〇〇八年逃往國外繼續從事民運活動，擔任民主中國陣線泰國分部主席，抗議中共獨裁專制暴政，批判習近平。二〇一五年十一月被中共特務越境由泰國非法綁架回中國判刑，現況不明，令人擔憂。

姜野飛（きょう・やひ）、一九六八年生まれ。四川省成都の人。一九八九年の民主化運動に參加。その後、人権擁護活動に積極的に參加し、二〇〇八年には海外に逃れて民主化の活動に従事した。民主中国陣線タイ支部の主席を務め、中共の独裁専制の暴政に抗議し、習近平を批判した。二〇一五年一一月、越境してきた中共の特務機関によってタイから不法に拉致され、中国に送還されて刑を受けた。現在の状況は不明で、心配な状況である。

中國大使館
姜野飛 四川成都人 八九民運參与者 積極參維權活動
二〇〇八年逃亡國外 繼續從事民運活動 後遭中共逮捕判刑
大觀筆

趙昕

趙家才女長有成
昕昕明光照心程
正信無懼邪徒暴
英靈護道傳世人

趙昕，女，一九六八年六月二十八日出生，哈爾濱人，生前為北京工商大學（原北京商學院）經濟學院教師。二〇〇〇年六月十九日，趙昕在公園裡煉法輪功時被共匪警察綁架。由於趙昕始終堅守信仰，遭到匪警打手殘酷毒打，導致頸椎粉碎性骨折，頭部有傷，左眼青紫發腫，呼吸困難。後被送往海澱醫院時還戴著腳鐐手銬。在醫院她被靜脈輸液，用呼吸機維持生命。經歷六個月痛苦的折磨後，於二〇〇〇年十二月十一日晚去世。年僅三十二歲，是被共匪活活打死的千千萬萬中國人之一。

趙昕（ちょう・しん）、女性、一九六八年六月二八日生まれ。ハルビンの人。生前は北京工商大学（旧北京商学院）経済学院の教師。二〇〇〇年六月一九日、公園で法輪功の修練をしていた際に中共匪賊の警察に捕まった。終始自分の信仰心を曲げなかったため、暴力者の残酷な暴行は、彼女の頚椎を粉砕骨折させるほどすさまじかった。頭部に傷があり、左の目は青紫色に腫れ上がり、呼吸困難になった。その後、足枷と手錠を掛けられたまま海淀医院に送られ、中心静脈栄養と人工呼吸器で生命を維持したが、六か月間苦痛にさいなまれた末、二〇〇〇年一二月一一日に亡くなった。三二歳の若さだった。中共匪賊が無惨にも殺したおびただしい数の中国人の一人である。

趙昕 一九六八年生 哈爾濱人 原在北京工商大學經濟學院教師
二〇〇一年一月十九日 趙昕在公園里修煉法輪功時被共匪惡警
抓捕 由於趙昕堅信仰始終不變 遭到—廿匪惡警慘酷
毒打 致其第四五六根頸椎 骨折
頸部 受傷
左眼青紫瘀
腫 呼吸困難 後
被送往醫院時還戴著 腳鐐手銬 極為慘悲
呼吸機維持一個月的痛苦折磨後去世 年僅三十二歲
大觀寫

劉賢斌

劉項之爭為一尊
賢者貴民輕皇孫
斌才用命行公義
高舉明光照黎生

劉賢斌，一九六八年生於四川省遂寧，一九八七年考上中國人民大學勞動人事學院，一九八九年積極參與了學生民主運動，六四鎮壓後仍然堅持參與民主活動，一九九一年四月被北京市中共當局逮捕關押，一九九二年十二月被共匪法院判刑二年六個月，一九九三年十月刑滿出獄後仍堅持推動民主事業，展開營救異議人士以及組建中國民主黨的活動。一九九九年八月被當局以「顛覆罪」判刑十三年，二〇〇八年十一月六日出獄。二〇一一年三月再次被共匪判處十年有期徒刑。劉賢斌是當代中國民主運動的英雄級人物。

劉賢斌（りゅう・けんひん）、一九六八年四川省遂寧生まれ。一九八七年に中国人民大学労働人事学院に入学。一九八九年、学生たちの民主化運動に積極的に參加し、六四天安門事件の鎮圧後も民主化の活動に參加し続けた。一九九一年四月に北京市の中共当局に逮捕、投獄され、一九九二年一二月、二年六か月の実刑判決を受けた。一九九三年一〇月に刑期満了で出獄後も民主化推進事業を続け、政治主張により迫害された人の救済活動や中国民主党設立の活動を展開した。一九九九年八月、再び中共当局によって「国家政権転覆罪」で十三年の実刑判決を受け、二〇〇八年一一月六日に出獄した。さらに二〇一一年三月にも懲役十年の刑に処されている。現代の中国民主化運動の英雄クラスの人物である。

劉賢斌
一九六八年生四川省人筆名萬賢明中國著名人權活動家作家
零八憲章首批簽署人一九八七年考上中國人民大學勞動人事學院
八九民運積極參加者並為此入獄以後繼續從事民主事業
及組建中國民
主黨又被中共
當局迫害
判刑長期
收監曾獲
獨立中文筆會
勇氣獎

丁家喜

丁家喜，一九六九年生於中國湖北省宜昌，北京航空航天大學畢業，後從工程師改行為律師，為新公民運動主要活動家之一，因為積極參與維權活動及要求中共高層公示財產而多次遭受迫害入獄失去自由，二〇一九年十二月六日被中共綁架下落不明。二〇二三年四月被共匪判處十二年有期徒刑。

丁男心高求无私
家國公正謀法司
喜為進步憂倒退
怒鄙共匪下流痞

丁家喜（てい・かき）、一九六九年生まれ。湖北省宜昌の人。北京航空航天大学を卒業してエンジニアだったが、やがて弁護士に転業し、新公民運動の主要な活動家の一人となる。人権擁護活動に積極的に参加し中共高官の資産公開を要求したため、度重なる迫害を受けたり投獄されたりして自由を失った。二〇一九年一二月六日、中共に拉致され、消息不明になる。二〇二三年四月、懲役十二年の判決を受けた。

丁家喜 中國湖北省宜昌市人一九六七年生
北京航空航天大學畢業後從工程師改行為律師
成為新公民運動主要活動家之一因積極參与維權活動及
要求中共高層公示財產而多次
遭受迫害入
獄失去自由
但樂觀堅定
令共匪恐懼又
於二〇一九年十二
月二十六日被共匪
綁架下落不明
宇宙大觀筆

楊紹政

楊木堅實本棟材
紹復華統開未來
政治變革目標大
摒除馬列廢獨裁

楊紹政，一九六九年生，四川省巴中市人，經濟學博士，前重慶工商大學教師和貴州大學經濟學院教授、碩士生導師，中國知名經濟學者與研究專家。因其經常發表中共當局的醜聞惡事和忌諱的政治言論，被特務學生舉報，遂屢遭當局的監控與打壓。二〇一八年八月被貴州大學正式開除。二〇一九年「六四」期間，因其在微信群披露屠殺血腥內幕，被匪警綁架並受到人身折磨和侮辱。二〇二一年五月，楊紹政再次發表政治言論，遂再次被貴州共匪綁架失蹤。後於二〇二二年七月二十九日被秘密審判。現況不明。

楊紹政（よう・しょうせい）、一九六九年生まれ。四川省巴中市の人。経済学博士。元重慶工商大学教師および貴州大学経済学院教授、修士課程指導教官。著名な経済学者である。頻繁に中共当局のスキャンダルや遠慮のない政治論を発言したために、スパイである学生に告発され、当局から監視や弾圧を受けた。二〇一八年八月、貴州大学から正式に除籍された。二〇一九年の六四天安門事件三十周年の期間に、We Chatのグループ内で天安門事件の虐殺の血なまぐさい内幕を暴露したため、警察に拉致され、暴行や侮辱を受けた。二〇二一年五月、政治評論を発表したことで再び貴州の中共匪賊に拉致され、失踪状態になった。二〇二二年七月二九日に秘密裁判にかけられ、現在の状況は不明。

杨绍政、一九六九年生四川巴中市人。经济学博士、前重庆工商大学和贵州大学、经济学院教授、硕士生导师。因其经常在课堂上发表损害中共、特稿学生举报而遭遇当局打压

晚间不戒慎（迫害二〇一七年上授课样）

二〇一八年被省的大学正式开除佣、再被其逃警巡乡绑生被空联同年被正式逮捕和秘密审判不庭不辩审寓大观笔也

二〇一九年又在徽信传播六四镇压之血犯罪乡绑架富莆实被人身折磨和伤害妆次顷鞍告再次发表昨共言论再次道此

二〇二年五月杨绍

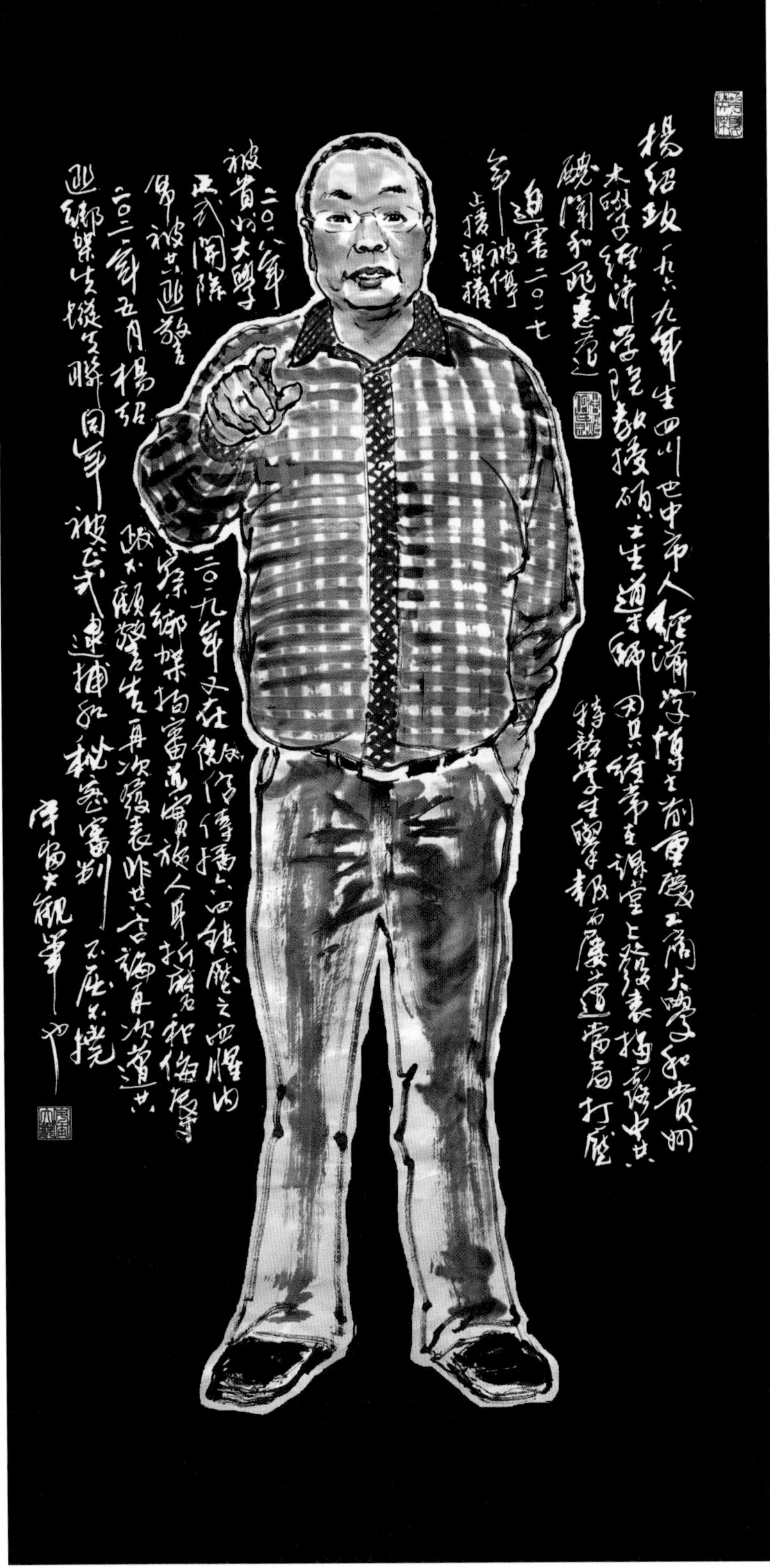

邵明亮

邵漢庶民俠義人
明宣公理討法程
亮牌反共震朝野
威武不屈獲讚聲

邵明亮，一九六九年？生，江蘇南京正義人士。二〇一三年在浦口中共政府前舉牌宣揚民主憲政之理念，而遭到共警毆打並被送至精神病院關押，後於二〇一四年一月在匪政府前遭到車輛碾壓至落下終身殘疾。二〇一六年又因反共言論多次被拘禁，二〇一九年十月被中共法院秘密審判，邵明亮在法庭上高喊打倒共產黨的口號，反抗暴政視死如歸。

邵明亮（しょう・めいりょう）、一九六九?年生まれ。江蘇省南京の正義を求める人であり、二〇一三年、浦口区の中共政府の前で民主憲政の理念を宣伝する横断幕を掲げたところ、中共の警察に殴打され、精神病院に収容された。二〇一四年一月、匪賊政府の前で車に轢かれて一生の障害を負った。二〇一六年にも中共に反対する言論を発したことで拘束された。二〇一九年一〇月、中共の裁判所は秘密裁判を開いたが、法廷で彼は打倒共産党のスローガンを声高らかに叫び、暴政に抵抗し理想のために生命も顧みない姿勢を示した。

邵明亮
江蘇南京正義人士於二〇一三年在浦口匪政府前
舉牌宣揚民主憲政之理念而遭匪警毆打并被送至精神病院
关押後於二〇一四年一月在匪政府前遭車輛碾压致
殘疾二〇一六年又因反共言論
多次被拘
禁二〇一九
年十月
被共匪法
院秘密
審判不屈
漢邵明亮當
庭喊出打倒共
產黨四字
释放我
被非法看押軟禁
2年2个月17天
邵明亮
2018年9月3日南京陶庄村
抗暴政視死如歸
大觀畢

陳衛・陳兵

陳衛、陳兵為學生兄弟，四川遂寧人，一九六九年生，八九民運時年僅二十歲，二人分別在北京和四川投身民運。後陳衛於一九九二年因參與組織「中國自民黨」被共匪判刑五年，二〇一一年二月再被四川當局以涉嫌顛覆罪逮捕，同年十二月被判刑九年。陳兵因為涉及六四酒案，於二〇一六年六月被以涉嫌煽顛罪刑拘，判刑三年半，二〇一九同年十二月刑滿釋放。陳衛陳兵兄弟民運雙胞胎，共同奮鬥，雙雙坐牢，是中華民族稀有的驕傲。

陳氏學胞勇成雙
衛護真理倍放光
陳展胸襟天地大
兵將反共鬥志昂

陳衛（ちん・えい）と陳兵（ちん・へい）は一九六九年生まれの双子の兄弟。ともに四川省遂寧の人。一九八九年の民主化運動の際はまだ二〇歳で、それぞれ北京と四川で民主化運動に身を投じた。陳衛は一九九二年に「中国自民党」の設立に参加したことで五年の実刑判決が下され、二〇一一年二月にも四川省当局に「国家政権転覆罪」の容疑で逮捕され、同年一二月に九年の実刑判決が言い渡された。陳兵は、六四にちなんだ名前の酒を販売した事件に関与したとして、二〇一六年六月に「国家政権転覆煽動罪」で刑事拘留（拘役）され、やがて三年半の実刑が言い渡され、二〇一九年一二月に刑期満了で釈放された。二人は民主化運動に投じた双子であり、共同で奮闘し、二人して投獄されたという中華民族では稀な誇りとなる存在である。

陳衛陳兵兄弟
民運双胞胎
共同奮闘
双雙坐牢
是中國民
主運動中
双英豪也
是中華民
族的驕傲也
大觀筆

李和平

李桃不言自有徑
和風送雨潤無聲
平地驚雷蓄日久
維權功績在民心

李和平，一九七〇年生，河南信陽人，中國人民大學法學碩士，北京維權律師，兼任聯合國歐洲金融投資局（EFIB）法律顧問、聯合國工業發展組織項目協調代表，經常為持不同政見者、法輪功及弱勢群體等維權。二〇〇七年共同發表著名的【憲法至上，信仰無罪】辯護詞，反對政府干預宗教及信仰。二〇一五年七〇九事件中遭中共匪當局無理抓捕，於二〇一七年五月九日下午獲釋但仍無自由。

李和平（り・わへい）、一九七〇年生まれ。河南省信陽の人。中国人民大学法学修士。北京の人権擁護弁護士であり、国連ヨーロッパ金融投資局（EFIB）の法律顧問や国連工業開発機関のプロジェクト代表コーディネーターも兼任しており、政治主張により迫害される人、法輪功学習者、社会的弱者たちの人権擁護を常々手がけてきた。二〇〇七年に共同で「憲法至上、信仰無罪」という無罪を主張する有名な言葉を発表した。政府の宗教や信仰への干渉に反対していた。二〇一五年、多数の人権擁護関係者が拘束された七〇九事件で中共匪賊に強引に捕えられ、二〇一七年五月九日午後に釈放されたが、その後は自由を奪われている。

李和平
一九七〇年河南信陽人中國人民大學法學碩士北京維權律師
常年為不同政見者等人維權共同發表了憲法至上信仰無罪的著名辯護詞
本人信仰基督教於二〇一五年七〇九迫害律師運動中失去自由二〇一六年被中共
當局以顛覆國家政權罪判刑入獄獄中受酷刑迫害
二年後被安然釋放異常
老瘦形同他人
大觀筆

劉飛躍

劉飛躍，一九七〇年出生於中國湖北省隨州市，是知名的維權人士。曾任教師，並是中國民主黨的成員之一，同時也是中國維權網站民生觀察的創辦人。一九九六年，他撰寫了《中南海是中國腐敗的根源》一文，因此遭到當局拘留了十五天。一九九八年，他成為了中國民主黨湖北省黨部的七名成員之一。二〇一六年，他被中共當局以顛覆國家政權的罪名逮捕，後來被判刑五年並被沒收個人財產一〇一萬元，目前下落不明。二〇一八年十一月十五日，劉飛躍獲得獨立中文筆會頒發的「第九屆劉曉波寫作勇氣獎」等。

劉民多難因無權
飛鷹衝天傳豪言
躍高凌空射赤匪
昇華位格斥共頑

劉飛躍（りゅう・ひやく）、一九七〇年湖北省随州市生まれ。著名な人権擁護活動家。かつては教師であるとともに中国民主党のメンバーであり、中国の人権擁護ウェブサイト「民生観察」の創設者でもある。一九九六年、「中南海は中国の腐敗の根源」という文章を書いたことで十五日間拘束された。一九九八年、中国民主党湖北省支部のメンバー七人のうちの一人になった。二〇一六年、中共当局に「国家政権転覆罪」で逮捕され、後に五年の実刑判決が下され百一万元の個人資産没収も受けた。現在の消息は不明。二〇一八年一一月一五日に独立中文ペンクラブから第九回劉曉波勇気執筆賞を受賞するなどしている。

劉飛躍
一九七〇年生中國湖北省隨州市人知名維權人士
曾為教師中國民主黨成員、中國維權網站民生觀察創辦人
於二〇一六年被中共當局以顛覆國家政權之名逮捕
後被判刑監禁五年
還被沒收個人
財產一〇一萬元

耿瀟男

耿瀟男，一九七〇年代出生，曾就讀於中央戲劇學院，出版人兼獨立電視製作人，文化企業家，公益文化思想活動策劃、執行、傳播者。耿瀟男善良俠義，常以公義心態助弱扶危，大膽為正義人士鼓勵呼籲，或為被剝奪權利甚至被斷絕生路的受難者提供人道援助，得到眾人贊許。她還組織文化沙龍，介紹正義人士的事蹟，傳遞他們失蹤或判刑的消息，不斷呼籲社會關注。耿瀟男因此獨具凝聚力，深受愛戴。二〇二〇年九月，突然被共警綁架逮捕，後被共匪當局胡亂以「非法經營罪」判刑三年。

耿耿赤心報中華
瀟灑長風追彩霞
男兒當知巾幗勇
英姿羞煞赤虜渣

耿瀟男（こう・しょうなん）、一九七〇年代生まれ。中央戲劇学院に通っていた。出版業者兼フリーのテレビプロデューサー、文化実業家であり、公益文化思想活動の企画、実施、普及を手がけた。善良で義侠心があり、公正正義の心を持って弱い者を助け、正義を求める人たちを堂々と励ましアピールしたほか、権利を剝奪され生計維持も困難な受難者たちへの人道支援も行い、多くの人に称賛された。文化サロンも設立し、正義を求める人たちの活動実績を紹介したり、彼らの失踪や判決の情報を伝えたりして、絶えず社会の注目を受けていた。そのような活動によって独特のカリスマ性があり、多くの人に愛されていた。二〇二〇年九月、突然中共警察に連行、逮捕され、後に無理矢理「不法経営罪」の罪を着せられて三年の実刑判決を受けた。

耿瀟男一九七0年代出生曾就讀於中央戲劇學院文化產業家出版人
獨立電視劇製作人傳奇天輝影視文化公司董事長文化領域代表人物耿
瀟男為人善良俠義常助弱扶危大膽敢言為正義人士鼓與呼為受到共匪
迫害的人士提供人道幫助為他們送去關愛和溫暖並為他們組織文化
沙龍介紹他們事蹟
傳遞他們失蹤
等消息被人稱為
我們人民中天使般的存在深受愛戴也
成為共匪打擊迫害的對象於二0二二年九月
被共匪綁架後被以莫須有的非法經營罪被判刑三年
大觀筆

王宇

王格高揚蔑共匪
宇間正氣壓邪鬼
歷經磨難愈靚麗
名播天下閃光輝

王宇，一九七一年五月內蒙古出生，中國女性維權律師，曾代理多起著名維權案件，並曾為大量法輪功學員的信仰進行無罪辯護，尤其在二〇一五年六月公開聲援法輪功學員向法院控告江澤民群體滅絕罪。二〇一五年七〇九大抓捕中，王宇被共匪綁架，一家三口都失蹤。二〇一六年一月八日，王宇被中共當局宣佈以顛覆罪逮捕和關押。此後王宇堅持為人權發聲，贏得人民和國際社會的尊敬和表揚，獲得二〇一六年美國律師協會的首屆國際人權獎等。

王宇（おう・う）、一九七一年五月内モンゴル生まれ。女性人権擁護弁護士として、多くの有名な人権擁護案件を手がけ、大勢の法輪功学習者の信仰に対して無罪を主張する弁護活動をした。さらに二〇一五年六月には、法輪功学習者が江沢民をジェノサイドの罪で告訴したことを、公然と支持した。二〇一五年、多数の人権擁護関係者が捕まった七月九日の七〇九事件で中共匪賊に拉致され、一家三人の全員が失踪状態になった。二〇一六年一月八日、中共当局は「国家政権転覆罪」で逮捕・投獄したと公表した。以後も人権問題で声を上げ続け、人民や国際社会から尊重、称賛されている。二〇一六年にアメリカ弁護士協会の第一回国際人権賞を受賞するなどしている。

王宇 中國最勇敢女律師因為代理許多敏感維權案件而
受到中共當局迫害並被
綁架判刑並被株連家人
护权
宇宙大觀筆

江天勇

江河不廢萬古流
天象昭昭現神州
勇土只為天下利
義取公道令鬼愁

江天勇，一九七一年生，河南羅山人，一九九五年畢業於長沙大學，後取得律師資格，積極參與多個維權案件的辯護，長期受到中共當局的監控騷擾和威脅，甚至暴力毆打，二〇〇九年七月被共匪當局註銷律師執業證，二〇一七年被中共當局綁架入獄並受到酷刑迫害，後被以煽顛罪判刑，引起世界人權組織關注和抗議。

江天勇（こう・てんゆう）、一九七一年生まれ。河南省羅山の人。一九九五年に長沙大学を卒業、後に弁護士資格を取得した。数多くの人権擁護案件の弁護に積極的に関わったために、長期間にわたり中共当局の監視、嫌がらせ、脅迫や、さらには暴力を受けた。二〇〇九年七月には弁護士の資格を剥奪された。二〇一七年、中共当局に拉致、投獄され、拷問による迫害を受けた上に「国家政権転覆煽動罪」の判決を下され、世界の人権団体がこの件に注目し、抗議をした。

江天勇 河南羅山人一九九五年畢業於長沙大學
後取得律師資格積極參与多個
維權案件的辯護
長期受到中共當
局的監控騷擾
和威脅甚至
暴力毆打二〇一七
年被中共當局
以煽顛罪判刑
入獄并受到嚴
重迫害引起
世界關注
宇宙大觀筆

陳光誠

陳年經歷識是非
光明在心辯人鬼
誠意總為人權戰
公義法庭審共匪

陳光誠，一九七一年生，山東沂南人，著名盲人維權人士，入選美國《時代雜誌》二〇〇六年時代百大人物。自學法律知識，維護村民與殘疾人士的權益，被媒體譽為「赤腳律師」。自二〇〇五年起妻子、女兒就遭中共當局非法監禁。二〇一二年四月下旬，他進入了北京的美國駐華大使館。五月十九日，他與家人離開中國，抵達美國以來，經常為中國人權發聲，批判中共獨裁專制的罪行。

陳光誠（ちん・こうせい）、一九七一年生まれ。山東省沂南の人。著名な盲目の人権擁護活動家で、二〇〇六年にアメリカ「TIME」誌の「世界で最も影響力のある百人」に選ばれた。法律知識を独学で習得し、村民や身体障害者の権利を守るために活動し、メディアからは「裸足の弁護士」と称された。二〇〇五年から彼の妻子は中共当局から不法監禁を受けた。彼は二〇一二年四月下旬に北京のアメリカ大使館に逃れ、五月一九日に家族と共にアメリカに亡命した。常に中国の人権問題に声を上げ、中共の独裁専制の犯罪行為を批判している。

陳光誠 山東沂南人
著名盲人維權人士
自學法律為村民與
殘疾人士維權被譽為
光明天使入選美國
時代雜誌二〇〇六年
時代百大人物受
中共當局迫害
入獄後被長期
監視二〇一二年經營
救避難國外繼續
為中國民主人權事業
奔走呼號獲得
多項國際人權獎
宇宙大觀筆

唐荊陵

唐荊陵，湖北省荊州市人，一九七一年生，畢業於上海交通大學，著名維權律師，為近年中國維權運動主要人物之一。致力於非暴力運動和平改變中國，但依然被中共當局迫害入獄。二〇一四年五月被刑事拘留，二〇一四年六月被以煽顛罪正式拘捕，二〇一六年一月二十九日被廣州中共當局判處五年有期徒刑。唐律師有言：國家的自由之路需要從你腳下開啟，從每一個願意承擔起責任的公民的腳下開啟。

唐煌心胸懷憧憬
荊棘難阻足下行
陵越障害無畏懼
公民天下定來臨

唐荊陵（とう・けいりょう）、一九七一年生まれ。湖北省荊州市の人。上海交通大学卒業。著名な人権擁護弁護士で、近年の中国における人権擁護活動の主要人物の一人。非暴力運動による平和的な中国の変革に尽力したが、中共当局から迫害、投獄された。二〇一四年五月に刑事拘留（拘役）され、同年六月に「国家政権転覆煽動罪」で正式に逮捕、二〇一六年一月二九日に広州の中共当局から五年の懲役刑を下された。唐弁護士は次のように語っている。「国家の自由への道は、あなたの足元から始めなくてはならない。公民としての責任を負うことを望む公民一人一人の足元から」。

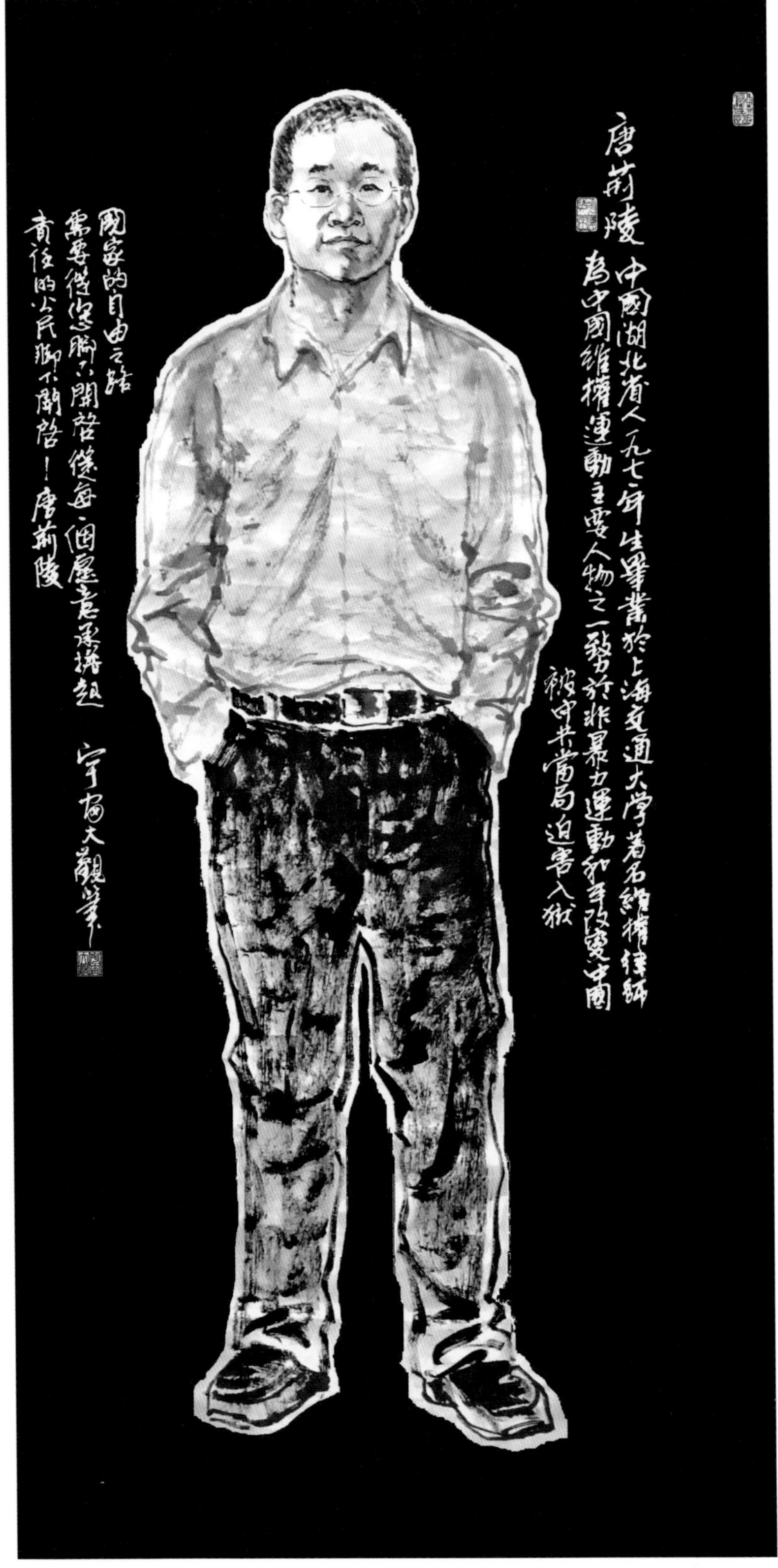
唐荊陵 中國湖北省人一九七一年生畢業於上海交通大學著名維權律師
為中國維權運動主要人物之一致力於非暴力運動和平改變中國
被中共當局迫害入獄
國家的自由之路
需要從您腳下開啓從每一個願意承擔起
責任的公民腳下開啓！唐荊陵
辛丑大觀筆

魯揚

魯難溯源指慶父
揚眉拔劍斬毒豬
山東好漢古來有
今日揮毫下戰書

魯揚，本名張桂祺，一九七一年生，山東省莘縣人，前「揚子宛詩社」、「中國當代詩歌論壇」、「中國自由文化論壇」及「中國詩人大講堂——文殊書院」等媒體平台創辦人，原山東省聊城外國學校教師，著名山東詩人及作家，《零八憲章》簽署人，獨立中文筆會會員，曾為正義人士發聲遭共匪流氓毆打，二〇二〇年四月因公開批判習近平獨裁專制，直呼「習近平必須下臺」、「中共獨裁政權必須結束」而被共匪綁架，後被判刑六年。

魯揚（ろ・よう）、本名張桂祺（ちょう・けいき）、一九七一年生まれ。山東省莘県の人。「揚子宛詩社」、「中国当代詩歌論壇」、「中国自由文化論壇」及び「中国詩人大講堂——文殊書院」などのメディアのプラットフォーム創設者。もとは山東省聊城外国学校の教師であるとともに山東省の著名な詩人、作家であり、民主化を求めるインターネット上の署名活動「〇八憲章」の署名者で、独立中文ペンクラブ会員。正義を求めて声を上げたために中共匪賊のゴロツキによる暴力を受け、二〇二〇年四月には習近平の独裁専制を公然と批判して「習近平はやめなければならない。中共独裁政権は終わらなければならない」と呼びかけたが、中共匪賊に拉致され六年の実刑判決が下された。

习近平下台
中共独裁政权
必须结束
山东鲁扬

謝陽

謝陽，維權律師，一九七二年生，湖南長沙人。曾供職於湖南網維律師事務所，京盈科（長沙）律師事務所，以及天地人律師事務所。二〇一一年從業以來曾多次代理迫害公民、打壓宗教、強折征地等公權力濫用事件。因親自參與聲援黑龍江建三江被捕律師、探訪陳光誠等事件，屢次遭到中共當局的騷擾，七〇九事件發生後被捕。二〇二〇年八月，湖南省司法廳吊銷謝陽的律師執業證書。二〇二一年十二月下旬，謝陽前往湖南永順縣，聲援因發表網路言論而被中共當局強行關進精神病院的懷孕女教師李田田。二〇二二年一月十七日，謝陽遭共匪刑事拘留，現況不明。

謝恩人民報蒼生
陽光底下發天聲
正氣凜然妖鬼懼
大法如劍剔偽真

謝陽（しゃ・よう）、一九七二年生まれ。湖南省長沙の人。湖南網維弁護士事務所、京盈科（長沙）弁護士事務所、天地人弁護士事務所で弁護士活動をしてきた。二〇一一年に弁護士になってから、公民への迫害、宗教弾圧、強制立ち退きなどの公権力乱用事件の訴訟を数多く手がけた。黒龍江省建三江地域で逮捕された弁護士への支援や、陳光誠のもとを訪れたことなどから、中国当局の嫌がらせをしばしば受け、人権擁護関連者が多数拘束された七〇九事件の後に捕まった。二〇二〇年八月、湖南省司法局から弁護士資格を剥奪された。二〇二一年一二月下旬には湖南省永順県に行き、インターネットでの発言を理由に中共当局から精神病院に強制入院された妊娠中の女性教師李田田（り・でんでん）を支援した。二〇二二年一月一七日に刑事拘留（拘役）され、現在の状況は不明。

謝陽維權律師一九七二年出生於湖南長沙曾任職多家維權
律師事務所二〇一一年從業以來多次代理受迫害公民受打壓宗教人士
等案件積極參與聲援建三江被捕律師等多次遭到共匪
當局的騷擾七〇九事件中被捕二〇二〇年八月
湖南省共匪司法當局吊銷謝陽的律師
執業證書
二〇二一年去
前往湖南聲
援因發表言論而被共匪送進精神病院的
女教師二〇二二年一月
謝陽再度遭
到共匪刑事拘留
引起各界關注
宇宙大觀記之

陳傑人

陳述真相職份內
傑出記者行無愧
人民知權被奪盡
新聞自由以命追

陳傑人，一九七二年生於農民家庭，二〇〇一年畢業於清華大學法學院。曾就職於中國青年報、人民日報、新華社等媒體，為資深媒體人。二〇〇三年，陳傑人因報道社會陰暗面被解僱。二〇一一年十月又因批評政府而被解除執行總編職務。二〇一八年六月，陳傑人在網上實名舉報邵陽市共匪書記嚴重失職和瀆職，被中共當局刑事拘留。二〇二〇年四月，湖南省桂陽縣共匪法院胡亂審判陳傑人攻擊詆毀政府司法機關等罪名成立，判處其徒刑十五年，罰款人民幣七一〇萬元。中共國成了正直記者的大監獄！

陳傑人（ちん・けつじん）、一九七二年生まれ。農家の出身。二〇〇一年清華大学法学院を卒業。中国青年報、人民日報、新華社など多くのメディアに勤務し専門調査報道を手がける。二〇〇三年に社会の暗部を報道したことで解雇された。二〇一一年一〇月にも政府批判のために編集長の職務を解かれた。二〇一八年六月、インターネット上で邵陽市の共産党書記の重大なミスと汚職を実名で告発し、地元の中共当局に刑事拘留（拘役）された。二〇二〇年四月、湖南省桂陽県の裁判所は、いかがわしい裁判で彼に対し、同省および司法機関を攻撃・中傷した罪を成立させ、懲役十五年、罰金七百十万元の判決を下した。中共の国は正直な記者にとって大きな監獄になったのである！

陳傑人一九七七年生於農民家庭二〇〇一年畢業於清華大學法學院曾就職於中國青年報人民日報及新華社下屬多家媒體曾在上述媒體上發表評論文章為資深媒體人二〇〇八年因為報導了社會陰暗面而被解雇二〇一一年十月又因批評政府而被解除執行總編職務二〇一八年因陳傑人曾舉報湖南省邵陽市共匪黨書記的嚴重問題而被共匪當局刑事拘留二〇二〇年四月被共匪判處有期徒刑十五年並罰款七〇〇萬元中國人權捍衛團體發表聲明嚴厲譴責共匪當局破壞新聞自由和迫害記者

守安大觀記之

趙楓生

趙楓生，湖南人，一九七二年生，填詞作曲者，多年來奔走社會底層，為民間疾苦吶喊，自立中華全國農民協會任秘書長，二〇〇九年成立楓生農民研究所，二〇一四年因在網路發表自由言論而遭受中共迫害入獄，家中留下孤妻幼子生活極其困苦。趙楓生還因發表北伐檄文聞名遐邇，令中共瘋狂。

趙行疾步向前衝
楓葉晚紅飾秋冬
生之大義為民戰
文筆討賊常鳴鐘

趙楓生（ちょう・ふうせい）、一九七二年生まれ。湖南省の人。古代歌謡文芸の填詞の作曲家。長年社会の底辺を歩き回り、民間の苦しみの叫びを上げてきた。自ら中華全国農民協会を設立して秘書長を務め、二〇〇九年には楓生農民研究所を設立した。二〇一四年、インターネット上で自由な言論を発表したことで中共に迫害され、入獄し、残された家族の生活は困窮をきわめた。孫文になぞらえて民主化を呼びかけた「北伐の檄文」の発表でも知られ、中共を怒りで狂わせることとなった。

趙楓生 湖南人一九七○年生 填詞作曲者多年來奔走社會底層
為民間疾苦吶喊自立中華全國農民協会任秘書長二〇〇九年成立楓生
農民研究所二〇一四年 因在網路發表言論而受共匪迫害入獄
孫妻幼子生活極其困苦
趙楓生因發表北伐檄文聞名遐邇令共匪瘋狂

大觀筆

北伐檄文 余等將集民衆之力北上伐賊 自賊竊國以來 無視人權人倫
上不敬鬼神 下不憐黎民 以僕人自居 行奴役之實 令民口不能言 耳不能聞
眼不能視 古往今來 由東至西 未見有此賊 [illegible] 淫人妻女 毀人墳墓
搶人田地 [illegible] 明火執仗 民有異議 武力鎮之 美其名維穩 南海之
地 北疆之土 [illegible] 為之城 [illegible] 輪 [illegible] 艦 剝賊不敢言 [illegible] 社
中 有剝賊 [illegible] 不計民之死活 以為己 [illegible] 食 今賊以 [illegible] 萬 [illegible] 陸
海空之武力 [illegible] 臨時 [illegible] 加 [illegible] 天
今見人心不見 [illegible] 不見食 有毒 [illegible] 有毒 [illegible] 民之後代何能存矣
賊之二三代 [illegible] 賊存內 橫征暴斂 [illegible] 血 [illegible] 令萬 [illegible]
國夫 [illegible] 民主民權民生 北上伐賊 以吾等之熱血 鑄五四年後代之民生
北上伐賊

王怡

王者能量自信仰
怡然蔑視嘲魍魎
正道浩蕩貫天地
蒙難篤信魔必亡

王怡，一九七三年生，畢業於四川大學法學院，作家、詩人、學者、基督教徒、牧師、自由撰稿人，並在多間新教教育機構與神學院擔任理事和教師。曾被列入「影響中國的五十位公共知識分子」之一。二〇〇五年自組教會而受到中共當局打壓迫害，二〇一八年十二月當局出動數千名共匪警察，逮捕了王怡等教會人士。二〇一九年三月中共當局對王怡判刑九年並罰款。但王怡牧師的正義之聲已經響徹全球：「習近平大大得罪了神，若不悔改必要滅亡！」

王怡（おう・い）、一九七三年生まれ。四川大学法学院卒業。作家、詩人、学者、クリスチャン、牧師、フリーの文筆家で、多くのプロテスタントの教育機関や神学校で理事や教師を務める。「中国に影響を与える五十人の公共知識人」の一人に選ばれたことがある。二〇〇五年に自ら教会を立ち上げたが、中共当局の弾圧、迫害を受け、二〇一八年一二月、中共当局は数千人の警官を動員して彼ら教会関係者を逮捕した。二〇一九年三月、中共当局から九年の実刑と罰金の判決を受けた。しかし、王牧師の正義の声は世界中に響き渡っているのである。習近平は神に対し実に大きな罪を犯したのであり、悔い改めなければ必ず滅びることになる！

王怡
一九七三年生 畢業於四川大學法學院
基督教徒 自由撰稿人 二〇〇五年自組家庭教會 發展會員
至五百多名 並拒絕
加入共匪控制的三自教會而受
到共匪打壓迫害 於二〇一八年十二月
遭共匪逮捕
但王怡牧師的正義之聲已經響徹全球
習近平已若不悔改必要滅亡
大大得罪了神
大觀筆

許志永

許志永，一九七三年生，蘭州大學法律系碩士學位，中國著名青年法學家，憲政學者，後為公民聯盟創始人之一，公民維權運動領軍人物。曾當選為區人民代表，宣導以非暴力方式維權，要求國民有平等受教育的權利，要求官員公佈財產和懲治腐敗。二〇一四年被中共當局無理迫害判刑入獄四年。二〇二三年四月被重判十四年有期徒刑。是為中共當局打壓言論自由的最惡劣案例之一。

許願天下百姓尊
志求公權謀平等
永不放棄正大念
前行多難鑄偉人

許志永（きょ・しえい）、一九七三年生まれ。蘭州大学で法学修士。著名な若手の法学者、憲政学者であり、公盟（後の公民）の創設者の一人で、新公民運動のリーダー。区の人民代表に当選したこともある。非暴力の方法による人権擁護を提唱し、国民の教育を受ける権利の平等や政府高官の資産の公開、汚職腐敗の取り締まりを要求している。二〇一四年に中共当局に不当に迫害され、判決を受けて四年間投獄された。二〇二三年四月には懲役十四年の重い判決が下されている。これは中共の最も悪質な言論の自由への弾圧の例の一つである。

許志永 一九七三年生 就讀於蘭州大學法律係碩士學位 為公民聯盟創始人之一
中國著名青年法學家 憲政學者和公民維權領軍人物 曾任區人代表 倡導以非
方式維權 要求國民平等受教育權利 要求官員公佈財產 反貪治腐敗 二〇一四年被
中共當局無理迫害判刑入獄四年
宇宙大觀筆

胡佳

胡作非為不看過
佳宣人權天下播
和平抗爭憑韌勁
等看日出烏雲落

胡佳，一九七三年生，中國著名社會活動家。畢業於北京經濟學院，多年來從事環保、人權及愛滋病等多項社會活動，通過互聯網和電話揭露政府對其他持不同政見人士的騷擾和綁架行動。因而被中共當局長期監視恐嚇，二〇〇八年被共匪以『煽動顛覆國家政權罪』判處三年半徒刑。同年胡佳獲得歐洲議會頒發的「哈羅夫人權獎」。

胡佳（こ・か）、一九七三年生まれ。著名な社会活動家。北京経済学院卒業。長年にわたって環境保護、人権、ＨＩＶなど多岐にわたる社会活動に携わっており、異なる政治意見を持つ者に対する政府の嫌がらせや拉致を、インターネットや電話を使って暴露してきた。そのため中共当局から長期にわたって監視や威嚇を受け、二〇〇八年には「国家政権転覆煽動罪」で懲役三年半の判決が下された。同年、欧州議会からサハロフ賞を授賞されている。

胡佳 中國著名社会活動家一九七三年生畢業於北京經濟學院曾獲諾貝尔和平獎提名
多年来從事環保人權等多項社会活動而被中共迫害判刑同年獲得歐洲
議會頒發的薩哈羅夫人權獎
我反对
胡佳
中国北京

吳淦

吳門好漢為民呼
淦水浸舟逼馬朱
行正道直義播遠
陽剛美談拌屠蘇

吳淦，一九七三年生，福建福清人，著名維權人士，網路名人。任北京鋒銳律師事務所行政助理，積極參與維權活動，曾多次在法院和政府機構之外組織抗議活動和「行為藝術」，在中國人權宣導者中有很高知名度。二〇一五年五月被共匪當局行政拘留，二〇一七年十二月被共匪控「煽動顛覆國家政權」等罪判處有期徒刑八年、剝奪政治權利五年。為中共獨裁政權以言治罪的著名案件之一。

吳淦（ご・かん）、一九七三年生まれ。福建省福清の人。著名な人権活動家、インターネット上の有名人。北京鋒鋭弁護士事務所で管理アシスタントとして働き、人権擁護活動に積極的に参加。裁判所や政府機関の外での抗議活動やパフォーマンスを数多く手がけており、中国の人権啓発の関係者の間で知名度が高い。二〇一五年五月、中共当局に行政拘留され、二〇一七年一二月に「国家政権転覆煽動罪」などで懲役八年、政治権利剝奪五年の刑を宣告された。中共独裁政権の言論取り締まりの著名な事件の一つである。

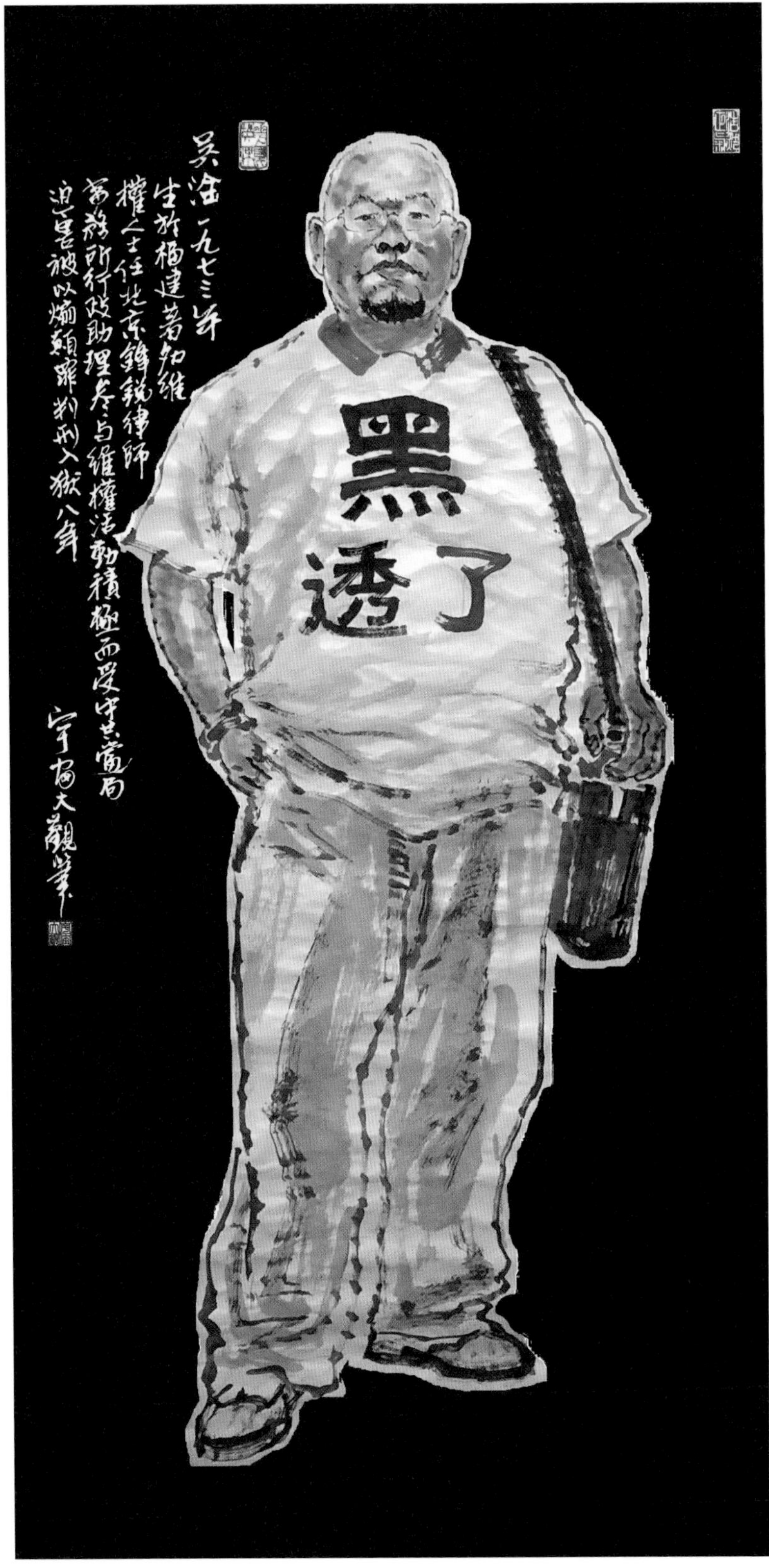
吳淦一九七三年生於福建著名維權人士任北京鋒鋭律師事務所行政助理參与維權活動積極而受中共當局迫害被以煽顛罪判刑入獄八年
黑透了

彭載舟

彭載舟，又名彭立發，今年四十八歲。黑龍江人，是北京甜瓜網路科技有限公司技術部的員工，家住北京西城區。二〇二二年十月十三日上午在北京海澱區四通橋上掛出反習橫幅，上面寫有「罷課、罷工、罷免獨裁國賊習近平」的字樣，及其他反共口號，成為後來白紙運動的英雄示範。後被共匪綁架不審不判，人間蒸發。現況不明。

彭彭鼓聲如響雷
載滿公義四通飛
舟行舟沉在民意
天滅共匪不可違

彭載舟（ほう・さいしゅう）、別名彭立発（ほう・りっぱつ）、事件当時四八歳。黒龍江省の人。北京メロンネットワーク科学技術有限公司技術部の従業員で北京市西城区在住。二〇二二年一〇月一三日午前、北京市海淀区の四通橋の上で「授業ボイコット、仕事ストライキ、独裁国賊習近平レイオフ」など反中国共産党のスローガンが書かれた反習近平の横断幕を持って現れ、後の白紙運動の英雄的模範人物となった。後に中共匪賊に拉致され、裁判にかけられるわけでもなく消息不明となり、現在の状況は不明。

謝燕益

謝燕益，一九七五年出生於河北，人權律師，參與代理大量維權案件，包括法輪功案件以及為被當局綁架的維權律師的辯護代理。二〇一八年五月，主動發表『退出中國律師聲明』，「不承認在共匪專制下有法治意義上的律師職業」。二〇〇三年發起提起憲政第一案，起訴時任共匪党首江澤民不顧民意違反憲法的行為。二〇〇八年發表《和平民主運動研究》積極宣導和平民主理念。向有關方面提出數十件法律建議案、公民意見、信息公開公益訴訟案等，二〇一五年七月被抓捕，二〇一六年一月被起訴罪名為「煽動顛覆國家政權罪」，被關黑監獄失去自由，還被共匪酷刑虐待。釋放以後不懼中共政權的打壓，繼續為正義發聲，引起海內外關注和聲援。

謝章陳詞慨而慷
燕趙門士去悲涼
益民佐義責無貸
天聲響地驚蒼黃

謝燕益（しゃ・えんえき）、一九七五年河北省生まれ。人権擁護弁護士として法輪功の案件や当局に拉致された弁護士の弁護活動などを手がけた。二〇一八年五月、「中共の専制下においては、法治によってこそ意義を持つ弁護士という職業を認めることはできない」として、自ら「中国弁護士退出声明」を発表した。二〇〇三年には憲政を求める中国初の訴訟を起こし、党首だった江沢民の、民意を無視し憲法に違反した行為を告発した。二〇〇八年、「平和民主運動研究」を発表して平和的な民主化の理念を積極的に提唱した。関係部門に対して数十件に及ぶ法律の提案、公民としての意見書、情報公開を求める訴状案などを提出したが、二〇一五年七月に捕えられ、二〇一六年一月に「国家政権転覆煽動罪」で起訴されて監獄に閉じ込められ、自由を失った。拷問や虐待を受けたが、釈放後も中共政権の弾圧を恐れずに正義の声を上げ続け、国内外の関心と声援を受けている。

謝燕益一九七五年生於河北祖籍廣東中國人權律師參與代理大量維權
案件包括法輪功案件二〇〇三年發起憲政第一案起訴時任中共黨首江澤民違反
憲法繼續霸佔軍委主席職位上二〇〇八年發表和平民主運動研究積極宣揚
和平民主理念並作為專業律師提呈當局數十件法律建議案
二〇一五年七月遭中共當局逮捕二〇一六年被以煽顛罪
起訴被
關押
於黑監
獄並遭受酷刑被釋放以後不懼中共打壓
繼續為正義發聲二〇二〇年疫情期間發表釋放所有政治犯
普遍特赦刑事犯的公開法律意見書
引起海內外關注和聲援
宇文大觀筆

李明哲

李明哲，一九七五年生於中華民國，為臺灣外省人第二代。曾就讀文化大學哲學系，二〇一五年至二〇一六年一月任職非政府組織「人權公約施行監督聯盟」，多年來李明哲關注中國人權與民主運動，支持中國大陸公民社會組織和行動者，曾自費寄贈文學與社會科學類書籍給大陸人士，遭中共政府查扣沒收。他還在網路上和大陸友人分享臺灣民主轉型及轉型正義的歷史經驗與智慧，並協助維權運動人士及家屬。二〇一七年十一月被共匪當局以煽顛罪逮捕，無理判刑五年，現已刑滿返回臺灣後常控訴共匪踐踏人權的犯罪行徑。

李代桃僵為手足
明揚人權多鼓呼
哲理難通賊心肺
歷經奇冤上正書

李明哲（り・めいてつ）、一九七五年台湾外省人二世として中華民国生まれ。文化大学哲学科で学ぶ。二〇一五年から二〇一六年一月までNGO「人権規約施行監督連盟」のメンバー。長年にわたり中国の人権と民主化運動に関心を持ち、中国大陸の市民団体や活動家を支援。文学・社会科学関連の書籍を自費で大陸の人たちに寄贈しようとして中共政府の検査に引っかかって没収されたこともある。またインターネットを通じて大陸の友人たちに、台湾における民主化への転換や正義実現の歴史的経験や知恵をレクチャーしたり、人権擁護活動家やその家族をサポートしたりした。二〇一七年一一月、中共匪賊当局に「国家政権転覆煽動罪」で逮捕され、強引に五年の実刑判決を下された。現在は刑期を終えて台湾に戻り、中共匪賊の人権を踏みにじる犯罪行為を頻繁に訴えている。

李明哲
中華民國台北市人二〇〇五年起擔任
非政府組織人權公約 實施監督聯盟志工
多年來關注並
支持中國大
陸的人權
与民主
活動
協助維權
人士及其家
屬二〇一七年
被中共當局綁架並
判刑成為中華民國人民關愛大陸人民的
標志性人物
宇楠大觀筆

劉豔麗

劉豔麗，一九七五年生，湖北前門人，原為銀行職員，活躍的博客作者，曾在網上發表過大量文章，宣導反腐敗、保護老兵權利、支援民主改革等。二〇一二年組織關愛抗戰老兵活動並發表了追求民主自由的言論及關注人權問題，招致共匪迫害，二〇一八年五月劉豔麗被監視居住，同年十一月被正式逮捕，二〇一九年一月受審，二〇二〇年四月，被共匪當局以「尋釁滋事」罪名判刑監禁。現況不明。

劉女超男勇擔當
艶美不容賊骯髒
麗質退共洗污垢
清風明月照故鄉

劉艶麗（りゅう・えんれい）、一九七五年生まれ。湖北省荊門市の人。元銀行員で、ブログ作家として活躍し、インターネット上で多くの文章を発表して、反腐敗、退役軍人の権利の保護、民主改革の支援などを提唱した。二〇一二年に抗日戦争の老兵士をケアする活動を組織し、なおかつ民主や自由を追求した文章を発表し人権問題に関心を寄せたために、中共匪賊の迫害を受けるようになった。二〇一八年五月から住居が監視されるようになり、同年一一月に正式に逮捕された。二〇一九年一月に裁判にかけられ、二〇二〇年四月に「騒乱挑発罪」で有罪判決を受け投獄された。現在の状況は不明。

劉艷麗 一九七五年生 湖北荊門人 原為銀行職員 因憂國憂民 二〇一二年組織關愛抗戰老兵活動和發表追求民主自由的言論 並關注人權問題 還呼籲公佈官員財產等而被中共國安當局監視搔擾和迫害 於二〇一六年被中共當局綁架並被打傷 為中國共匪當局迫害中國人民的又一罪行

作为一名曾经的少先队员(已退)，曾经的共青团员(已退)真诚建议他党摆事实讲道理不要欲说还休请把吴淦和周世锋们为什么犯罪和如何犯罪的所有的前因后果摆个清清楚楚明明白白让中国人民心服口服！

宇宙大觀筆

王全璋

王全璋，一九七六年生，山東省五蓮縣人，維權律師的代表人物之一。在北京執業，常代理敏感案件、大量代理法輪功信仰案作無罪辯護，以及農民土地案、基督徒案等，維護弱勢群體合法權益，以健全法治為主要領域，提倡「不斷碰撞抗爭」。二〇一五年中國七〇九維權律師大抓捕事件中被共匪抓走後，杳無音訊超過一千天，其妻子四處奔走未能見上一面，成為話題。據稱期間曾遭電擊等酷刑，足見共匪的所謂法律的荒唐和無人性。二〇一八年十二月被共匪當局秘密審判胡亂定罪。

王者之風欣欣然
全力為民爭法權
璋玉高潔遭賊恨
冷看官匪狼狽奸

王全璋（おう・ぜんしょう）、一九七六年生まれ。山東省五蓮県の人。人権擁護弁護士の代表的人物の一人。北京で活動し、常に政治的に敏感な案件に携わった。法輪功信仰者の無罪を主張する弁護を多数手がけ、農民の土地取り上げをめぐる案件、クリスチャンに関わる案件なども手がけており、社会的弱者の権利を守り、法治の健全化を主要な活動領域とし、「たえず衝突と抗争を続けないといけない」と主張した。二〇一五年、人権擁護弁護士が多数捕まった七〇九事件で連行されてから千日間以上消息不明になっていた。彼の妻があちこちを奔走したものの面会できなかったことは話題にもなった。電気ショックなどの拷問を受けたとも伝えられており、中共匪賊が言う法の荒唐無稽ぶりと非人道的な性質が十分に示されている。二〇一八年一二月、秘密裁判でいかがわしくも有罪となった。

王全璋
一九七六年生畢業於山東大學
法學院維權律師代表人物之一於七〇九迫害
事件中被中共當局綁架並被施以酷刑失踪上千天夫人李文足
堅持不懈為丈夫討要公道此案受到普遍國際關注被譽為人權英雄
得到多個國際人權獎大
宇宙大觀筆

張雪忠

張揚人權擁自由
雪洗國恥批魔酋
忠於華夏驅馬列
文膽匡義照千秋

張雪忠，一九七六年生，江西上饒人，前華東政法大學副教授、碩士生導師及著名維權律師，因敢言抨擊中共專制，於二〇一三年十二月被華東政法大學解聘，再於二〇一九年被吊銷律師執業證。張雪忠長期發表專欄文章，有《中國需要去馬克思主義化》等。二〇一一年五月張雪忠發表致共匪教育部長的公開信，要求取消大學入學考試的「政治」科目以及將「馬克思主義哲學原理」等課程從大學公共必修課程中去除。張雪忠還於二〇一二年九月八日公開宣佈退出中共匪黨。壯哉！偉哉！

張雪忠（ちょう・せっちゅう）、一九七六年生まれ。江西省上饒の人。元華東政法大学副教授、修士課程指導教官であり、著名な人権擁護弁護士。中共の専制を糾弾する発言をあえておこなったことで二〇一三年一二月に華東政法大学を解雇され、二〇一九年には弁護士資格も剝奪された。自身のコラム欄で長期にわたって文章を発表し続けており、「中国はマルクス主義化を取り除かなければならない」などがある。二〇一一年五月、教育大臣に宛て、大学入試における「政治」科目の廃止や、大学の共通必修科目から「マルクス主義哲学原理」などの科目の除去を求める公開書簡を発表した。さらに二〇一二年九月八日に中共ブラック党からの脱退を宣言している。たくましいことだ！偉いことだ！

張雪忠 一九七五年生江西省人華東政法
大學副教授碩士生導師以敢言抨擊大陸
共匪專制並參與維權活動著稱
因此被共匪當局停課解聘墜毀
打壓 張雪忠公開提出
中國需要去
馬克思化
二〇二一年發表
致偽教育部長
公開信要求從
教課書中去除馬克思教義
並於二〇二二年九月宣佈退出中共 令人敬佩
宇宙大觀記之

劉書慶

劉書慶，一九七六年生，中國知名公益律師、人權衛士、山東齊魯大學教師，獨立中文筆會會員，公義在心，代理多起維權案件，發起多起要求教育平等、性別平等、反對給以外國留學生特殊待遇等，呼籲促進法制，保障人權，還公開呼籲成立反歧視志願律師團等活動。二〇一九年十二月中共匪警破門而入，綁架了劉書慶律師。但是人身迫害嚇唬不了劉書慶，他依然為公義發聲，為人權奮戰。

劉項之爭無義談
書寫歷史須翻篇
慶事只待民主到
深批奸佞救腦殘

劉書慶（りゅう・しょけい）、一九七六年生まれ。有名な公益関連の弁護士、人権擁護活動家、山東斉魯大学教師、独立中文ペンクラブのメンバー。公正と正義の心を持ち、数多くの人権擁護の案件を手がけた。教育の平等や男女平等の要求、外国人留学生の特別待遇への反対、法制化の推進や人権の保障の呼びかけ、それに反差別有志弁護士グループの設立を公けに呼びかけるなど、数多くの行動を起こした。二〇一九年一二月、警官が自宅のドアを壊して押し入り、劉弁護士を拉致した。しかし、彼は迫害に物おじせず、依然として公正と正義のために声を上げ、人権のために奮闘している。

劉書慶中國知名公益律師維權斗士齊魯大學教師
擔當中文筆會會員公義有心代理多起維權案件發起
多起要求教育平等性別平等反對給以外國留學生特殊待遇等
促進法制
保障人權
公開呼
呼成立反歧視志願律師團等活動
引起共匪恐懼於二〇〇九年最後一天將
劉律師以其綁架
宇宙大觀筆

何韻詩

何韻詩，一九七七年香港出生，十一歲時隨家人移民加拿大，一九九六年回港參加歌唱大賽後展開歌唱事業。二〇一四年起為香港和台灣發聲，遭到中共封殺，二〇一九年七月應邀參加聯合國人權理事會發言，指責中共對香港的欺騙，呼籲國際社會促北京尊重香港人權。她還建議聯合國把踐踏人權的中共國從人權理事會除名令中共當局跳腳。同年九月，何韻詩出席美國國會聽證會，批評香港當局濫用暴力，並呼籲議員通過《香港人權及民主法案》。後在台灣公開講演時，遭共匪特務潑漆威脅。二〇二一年何韻詩等遭共匪逮捕，後釋放。何韻詩堅持抗爭中共暴政，在國際上獲得高度評價。

何時常求明月圓
韻拌正義揚世間
詩歌高吟自由頌
勇斥共匪爭人權

何韻詩（か・いんし）、一九七七年香港生まれ。一一歳の時に家族と共にカナダに移住。一九九六年に香港に戻り、歌唱コンクールに参加し、その後歌手活動を展開。二〇一四年からは香港や台湾の問題について声を上げ、彼女の声は中共から封殺された。二〇一九年七月、国連人権理事会に招かれ、香港に対する中共の欺瞞を非難し、中国政府に香港人の人権を尊重することを促すよう国際社会に呼びかけた。彼女はまた、人権を踏みにじる中共の国を人権理事会から除名することを提案し、中共当局を怒らせた。同年九月にはアメリカ議会の公聴会に出席し、香港当局の暴力の乱用を非難、『香港人権民主主義法』法案の通過を議員に呼びかけた。その後、台湾での公開講演中に中共匪賊のスパイにペンキをかけられるという脅しを受けた。二〇二一年に中共匪賊に逮捕され、後に釈放。彼女が中共の暴政と闘っていることは国際社会で高い評価を得ている。

何韻詩一九七七年出生於香港後隨家人移民加拿大一九九六年回港參加
歌唱大賽後在香港發展歌唱事業二〇一四年成為香港和台灣政治發
聲一國兩制遭到共匪政權封殺二〇一九年七月應邀參加聯合國人權理事會
發言指責共匪
對香港的欺騙呼籲國際社會對中共施壓
促共尊重香港
人的權利
她還提出由於
中共踐踏人權應
將其從人權理事會
除名令中共跳腳二〇一九年何韻詩出席美國國會
聽證會
呼籲
美國通過香港人權及民主法案再次令中共發狂
二〇二一年
共匪以香港國安法逮捕何韻詩等民主人士後
釋放
何韻詩作為反抗共匪暴政的文藝人獲得國際社會高度評價
大觀筆
復香港
代革命

阮曉寰

阮曉寰，一九七七年生，福建泉州人，居於上海。初中起興趣於計算機，一九九六年入讀上海華東理工大學，後轉攻計算機，先後從事各種計算機安全運營業務，二〇〇八年任北京奥運會網絡安全總工程師。二〇〇九年起以「編程隨想」之名在網上發表網路安全、翻牆方法等教學文章，亦有對中共的批評政論。六四屠殺事件二十周年前集中分享網絡翻牆方法，二〇一一年後發表多篇呼籲公衆走上街頭抗共的博文，還揭露中共大腐敗項目「太子黨關係網絡」。二〇二一年五月被中共當局逮捕，二年後被當局秘密審判，被以「煽顛罪」判刑七年。海外多團體聯合發表聲明譴責中共重判阮曉寰，海内外中國人讚阮曉寰為時代英雄。

阮氏英傑滬上榮
曉通電腦破牆功
寰球皆為君點讚
只緣共匪新牢籠

阮曉寰（げん・ぎょうかん）、一九七七年生まれ。福建省泉州の人。上海に居住。中学時代からコンピュータに興味を持ち、一九九六年に上海華東理工大学に入学後、専攻をコンピュータに変えて、セキュリティ運用業務に従事。二〇〇八年の北京オリンピックでインターネットセキュリティのチーフエンジニアを務めた。二〇〇九年から「編程随想」の名でセキュリティやネット封鎖の迂回方法などをインターネット上で教えるようになり、中共を批判する政治論も書いた。六四天安門事件二十周年の前には、ネット封鎖を突破する方法を集中的に教え、二〇一一年からは街頭で中共に抗議することを民衆に呼びかけるブログ記事を多数発表し、さらには中共の大きな腐敗コンテンツである「太子党関係ネットワーク」を暴露した。二〇二一年五月に逮捕され、二年後に秘密裁判にかけられ「国家政権転覆煽動罪」で七年の実刑判決を受けた。この重い判決を多くの海外の団体が共同で非難する声明を発表し、国内外の中国人からは時代の英雄とみなされた。

阮曉寰一九七七年生福建泉州人 初中起即有興趣於電腦 一九九六年入讀上海
華東理工大學修讀電子計算機 從事各種電腦安全運營
業務 二〇〇八年擔任北京奧運會網絡安全總工程師
二〇〇九年起以編程隨想之
名在網上發表
介紹網絡安全教程
及翻牆方法並對中
共獨裁展開批判
公開破解網絡封鎖
六四事件二十周年前集中
手法還揭露中共腐敗黑幕
密還被捕兩年後被中共邪惡當局
二〇一三年五月遭中共秘
判刑七年 但海內外正義
人士都視其為爭取言論自由的
時代英雄也
寧海大觀筆

楊立才

楊柳枝柔樹幹韌
立定大地動乾坤
才為蒼生藝為眾
中指向匪怒火噴

楊立才，一九八〇年?生，遼寧籍藝術家，零八憲章簽署人，憂國憂民，追求藝術自由及精神自由，飄泊至北京，成為活躍的正義自由藝術家，勇敢地在法院門口公開聲援劉曉波，要求與劉曉波同罪坐牢，因而受到中共當局監控和羈押。二〇一九年十二月因發表涉及香港的言論，又被中共警察綁架和抄家，廣受關注。

楊立才（よう・りつさい）、一九八〇?年生まれ。遼寧省に戸籍のある芸術家。憂国・憂民の人で、二〇〇八年の民主化を求めるインターネット上の署名活動「〇八憲章」の署名者である。芸術の自由および精神の自由を追求し、各地を回った末に北京に落ち着き、正義と自由を求める芸術家として活躍した。勇敢にも裁判所の門の前で公然と劉暁波に声援を送り、劉暁波と同じ罪で投獄されることを要求した。そのため、中共当局から監視や拘束を受けた。二〇一九年一二月、香港に関する発言を理由に中共の警察から拉致され、家宅捜索を受けており、幅広い所から注目されている。

楊五才
遼寧籍藝術家 零八憲章簽署人 追求藝術自由
及精神自由 漂泊至北京 成為活躍的異見藝術家
在法院現場公開聲援劉曉波 要求釋放劉 因罪而受到
共匪嚴密監控和拘押
二〇一九年十二月因
發表涉港言論遭共匪綁架拘押
家備受關注
宇宙大觀筆

李金星

李廷出道俠義身
金銀之上追天輪
星河有光照長夜
君執公劍破鬼門

李金星，一九八〇年代？生，中國著名刑事辯護律師，多年來致力於維護社會公平正義，並大膽發表時政評論，受到人民歡迎，卻受到中共偽司法當局的恐懼和迫害，於二〇一九年八月被吊銷律師執照，但其剛直不阿，仗義執言的風範成為中國人民浩然正氣的一位承載人物。

李金星（り・きんせい）、一九八〇年代？生まれ。刑事専門の有名な弁護士であり、長年社会の公平と正義を守ることに尽力し、大胆な時事・政治評論を発表して人民の人気を得たが、中共偽司法当局による脅迫や迫害を受け、二〇一九年八月には弁護士資格を剥奪された。それでも物おじせず正しいことを話す彼の態度は、中国人伝統の浩然の気を引き継いだものである。

彭佩玉

彭佩玉，一九八〇年代？出生，中國湖南公民作家，長期發表時政批評文章，二〇一九年三月因發表著名的討習檄文而被中共當局多次綁架拘留、酷刑迫害。平日匪警嚴密監視彭佩玉，剝奪其言行自由。共匪對彭佩玉的迫害傷及其家屬，迫害人權任意牽連他人。二〇二二年三月彭佩玉在網上發出《關於發起反戰遊行示威的公民呼籲書》，表示將前往北京去俄羅斯駐華大使館進行反戰遊行示威，三月二日，彭佩玉到達長沙，準備前往北京，隨後在三月三日凌晨被匪警抓捕。現況不明。

彭生湘楚近毛莊
佩劍反共著文章
玉石俱焚無所畏
豪邁檄文震八方

彭佩玉（ほう・はいぎょく）、一九八〇年代？生まれ。湖南省の人。市民作家で、長年にわたり時事・政治についての評論を発表していた。二〇一九年三月、習近平を糾弾する有名な文章を発表し、中共当局から何度も拉致、行政拘留、拷問、迫害された。警察は日ごろ彼を厳重に監視し、彼は言行の自由を奪われた。中共匪賊の彼に対する迫害は家族にも及び、人権を迫害し勝手に罪を付け加えた。二〇二二年三月、彼はインターネット上で「反戦デモの発起に関する市民のアピール」を発表し、北京のロシア大使館で反戦デモを行うと表明した。三月二日、彼は長沙に到著し、北京に向かう準備をしていたが、三月三日早朝に匪賊警察に捕まった。現在の状況は不明。

彭佩玉 中國湖南公民
作家長期發表
時政評論文章
更因發
表著名
的討習檄文而被
中共當局以沈
大観筆

歐彪峰

歐美民主普世傳
彪炳華夏學中山
峰迴路轉不改志
豪情萬丈門共頑

歐彪峰，一九八〇年代？出生，湖南人。早早自學研讀中外政治學，並以理論知識作指導，據理有法進行維權。近年來積極參與維權活動，又公開聲援支援多名維權人士和人權律師，多次遭到匪府警告。二〇一八年因支援上海潑墨女，以及聲援香港正義人士等等，被當地中共惡徒從家中抓走，再將其行政拘留十五天後，警方以其涉嫌「國家政權顛覆罪」對其判罪，期滿後轉到株洲市第一看守所關押。二〇二二年十二月三十日宣判，以煽巔罪判刑三年六個月，現況不明。

欧彪峰（おう・ひょうほう）、一九八〇年代？生まれ。湖南省の人。若い頃から国内外の政治学を独学し、その理論と知識に基づいて合法的に人権擁護に取り組んできた。近年、積極的に人権擁護活動に関わるとともに、多くの人権擁護の活動家や弁護士を公然と支持したために、匪賊政府から何度も警告を受けた。二〇一八年、習近平の肖像画に墨を掛けた上海の女性を支持し、香港の正義を求める人々を支持するなどしたため、地元の中共の悪党に自宅から連行された。十五日間の行政拘留の後、警察は「国家政権転覆罪」容疑で起訴し、行政拘留期限後は株洲市第一看守所に投獄した。二〇二二年一二月三〇日に「国家政権転覆煽動罪」で三年六ヵ月の実刑を宣告された、現在の状況は不明。

支持香港
公民抗爭
反对暴政

王美余

王朝自有鐵律裁
美名英花帶血開
余生壯舉驚天下
豪言如劍斬赤豺

王美余，一九八一年生，湖南衡陽人，是位具有公民意識的市民，二〇一八年起在衡陽、長沙等多地公開舉牌，要求習近平李克強下臺，讓人民自由選舉，令中共當局恐慌，被中共特務多次綁架迫害逼其悔過，遭嚴詞拒絕，後於二〇一九年九月再次被綁架，羈押兩個月後，因被酷刑殘害致七竅流血傷痕累累而死，時年僅三十八歲。這是馬列中共獨裁政權對中國人民犯下的又一血債罪行。

王美余（おう・びよ）、一九八一年生まれ。湖南省衡陽の人。市民意識を持つ公民で、二〇一八年から衡陽や長沙など多くの地で、習近平と李克強の辞任、人民に自由に選挙させることを求めるプラカードを公然と掲げ、中共当局を恐れおののかせた。中共の特務機関から何度も拉致や迫害を受け、悔い改めることを迫られたが激しく拒絶した。二〇一九年九月に再び拉致され、二ヶ月間拘禁された後、拷問により目・耳・鼻・口の七つの穴から血が流れ、おびただしい傷を負った姿で死亡した。三八歳の若さだった。これはマルクス・レーニン中共独裁政権の中国人民に対する血の負債の犯罪の一つである。

王美余 湖南衡陽人 二〇一八年舉起公開舉牌要求習近平李克強下台
接受人民選舉 後被共匪國保綁架臨禁施以酷刑 要其悔過
遭嚴肆
拒絕 於二〇一九年九月
五被綁架內
個月後
便被殘
害而死
致七竅流血
是馬列共匪獨裁政權迫害中華兒女的又一血債

强烈要求习近平、李克强等立即下台
让位全民选举

宇宙大觀記之

張展

張展，一九八三年生，陝西人，公民記者，基督徒。西南財經大學保險學本科、金融學碩士。二〇一〇年在上海任律師，後因參加維權活動等簽名活動，被註銷律師執業證。張展長期在網路平台上批評中共一黨專政、腐敗濫權等，還聲援港人抗爭活動。二〇二〇年二月起張展以公民記者身份，前往武漢追蹤報導新冠肺炎疫情，發布了大量關於武漢疫情和民眾生活的視頻報導，在五月遭中共當局抓捕後被以「尋釁滋事罪」判刑四年。張展在看守所絕食抗議，遭到強制灌食及二十四小時戴約束帶等酷刑。律師會見張展後接受媒體採訪時擔憂說張展可能「無法活著走出監獄」。國際上聲援張展，二〇二一年第二十一屆青年「中國人權獎」等多項表彰授予張展。

張目盡望民間苦
展播真相廣傳訴
正義呼聲愛加恨
直指共匪超病毒

張展（ちょう・てん）、一九八三年生まれ。陝西省の人。市民ジャーナリスト。キリスト教徒。西南財経大学の学部では保険学を学び、金融学で修士号。二〇一〇年に上海で弁護士として働いたが、人権擁護などの署名活動に參加したため、弁護士の資格を剥奪された。長年にわたってインターネット上で一党専制や腐敗、権力濫用などを批判し、さらに香港市民の中国・香港政府との抗争を支持した。二〇二〇年二月からは市民ジャーナリストとして、武漢で新型コロナウイルスの感染状況を追跡報道し、武漢の感染状況や民衆の生活に関する多くの動画レポートを発表した。同年五月に逮捕され、「騒乱挑発罪」で四年の実刑判決が下された。看守所ではハンガーストライキを行い、強制摂食や二十四時間拘束ベルトをはめられるなどの拷問を受けた。接見した弁護士はメディアの取材に答えて「生きては出獄できないかもしれない」と語っている。国際社会からは声援を受けており、二〇二一年の第二十一回「中国人権賞」など多くの受賞歴がある。

調查武汉肺炎真相
張展一九八三年生陝西人公民記者基督徒西安財經大學保險學本
科金融學碩士二〇二〇年在上海任律師後因參加維權活動被註銷律師
執業證張展長期在網絡平台上揭露批評當局專制獨裁腐敗濫權聲
援港人抗爭並於二〇二〇年二月以公民記者身份前往武漢追蹤報
導新冠
肺炎疫
情後發佈
以大量武漢疫情的真實狀況的視頻報導而遭中共當局
並被判刑四年張展在看守所絕食抗議遭到強制灌食二十四小時受到非人
待遇律師會見張展後對外說張展可能無法活著走出高墻
宇宙大觀記之

王藏

王格高貴出民家
藏龍臥虎多才華
仰尊良知天上寶
俯視匪賊人間渣

王藏，一九八五年生，原名王玉文，雲南省楚雄市人，中國良心詩人、自由作家、中國自由文化運動成員。二〇〇六年至二〇〇七年間因積極參與「中國自由文化運動」簽名活動和在海外網站發表文集等，被共匪警方再次強制監視居住六個月。二〇二〇年五月被楚雄市共匪機關突然以涉嫌煽動顛覆罪為由拘留逮捕，十二月共匪開庭審判王藏夫婦以「煽動顛覆國家政權罪」案長期羈押。律師認為王藏夫婦根本無罪，民眾要求早日釋放王藏夫婦。王藏夫婦育有四孩，最小的是一對雙胞胎，被強迫離開父母照顧。眾人指共匪冷血無人性令人憤慨。

王藏（おう・ぞう）、本名は王玉文（おう・ぎょくぶん）、一九八五年生まれ。雲南省楚雄市の人。良心の詩人、自由を求める作家であり、中国自由文化運動のメンバー。二〇〇六年から二〇〇七年にかけて中国自由文化運動の署名活動に積極的に參加し、また海外のウェブサイトで作品集を発表したことなどにより、警察から複数にわたって六か月間強制的に監視されるなどした。二〇二〇年五月、楚雄市の中共当局は前触れもなしに彼を「国家政権転覆煽動罪」容疑で刑事拘留（拘役）し、やがて逮捕した。同年一二月に裁判が開かれ、王藏夫妻は「国家政権転覆煽動罪」で長期間投獄されている。弁護士は二人が根本的に無罪であるとの考えを示しており、民衆は夫妻の早期釈放を求めている。二人には四人の子供がおり、最も小さいのは双子の胎児であるが、強制的に父母の元から離されている。中共匪賊の非人道的な行いは多くの人を憤慨させている。

王藏 一九八五年生原名王玉文雲南楚雄市人中國良心詩人自由作家影視編劇
獨立中文筆會會員二〇〇六年至〇七年間因積極參與中國自由文化運動和在海外網站
發表文章等被共匪警方強制監視居住二〇〇八年榮獲自由體大寫作獎二〇二〇年
五月被楚雄市
國家政權罪
而拘留逮捕
共匪警方冤枉以煽動顛覆
十二月共匪宣判
王藏夫婦所謂
煽動顛覆國家政
民權要求共匪當
育有四個孩子
令人憤慨也
字由大觀記之
權柴大陸律師普遍認為王藏無罪
局早日釋放王藏夫婦 王藏之婦
孩子們日夜盼望父母早日回家焉列共匪的無人性罪惡

黄雪琴

黃毛丫頭靚女風
雪地紅梅鬥寒冬
琴弦彈唱平權曲
勇挺港人反送中

黃雪琴，傑出女性活動家，公民記者，參與「我也是女權公民」運動。面對獨裁體制打壓，幫助數十位遭受性侵和性虐待的女性發聲，由於運動影響廣泛引起中共當局驚恐，尤其黃雪琴對香港反送中運動堅持傳播事實真相，而遭到中共特務綁架。現況不明。

黄雪琴（こう・せつきん）。優れた女性活動家、市民ジャーナリストであり、Me Too 運動にも参加した。独裁体制の弾圧に直面しながらも、数十人の性暴力や性的虐待を受けた女性が訴えることを支援してきたが、彼女の活動の影響力が広がるにつれ、中共当局が警戒するようになった。殊に香港の逃亡犯条例改正案反対デモについて真相を伝え続けてきたために、中共の特務機関に拉致され、現在の状況は不明である。

黃雪琴 中國傑出女性活動家 公民記者参与發起我也是女權
公民運動面對威權體制 幫助幾十位遭受性侵和性虐待的女性
發聲由於運動影響 廣泛引起共匪驚恐
尤其在對待香港 反送中運動
黃雪琴堅持
講事實
真相而
令共匪惱怒而對黃雪琴實施綁架
#ME
TOO

董瑤瓊

二〇一八年七月四日，湖南女子董瑤瓊在上海海航大廈前，直播其對中國共產黨一黨專政的不滿，朝共匪中央總書記習近平大幅畫像潑墨，大快人心，影響轟動。此後海外華人等模仿開展潑墨行為藝術活動，用墨水灑向預先印製好的中共頭目畫像，以表達不滿和抗議。董瑤瓊本人和家屬受到共匪多種迫害，但被民間尊為抗暴英雄。

董家小女大俠風
瑤池仙山躍悟空
瓊玉光刺魔王面
民意盛讚潑墨功

二〇一八年七月、湖南省の女性である董瑤瓊（とう・ようけい）は、上海の海航ビルの前で中国共産党一党専制への不満をライブ配信で述べ、党中央総書記である習近平の大きな肖像画に墨を掛けた。この行為は人々を大いに喜ばせ、センセーションを巻き起こした。以来、毎年七月四日には、海外の華人たちが墨掛けを真似たパフォーマンスアートを展開している。あらかじめ中共の頭目のきれいに印刷された肖像画を用意しておき、そこに墨を掛けて不満や抗議の意を表わす。董瑤瓊本人と家族は中共匪賊からさまざまな迫害を受けているが、庶民からは暴政を抵抗した英雄として尊敬されている。

董瑶琼一九八九年生湖南株洲攸縣人在上海工作
二〇一八年七月董瑶琼用推特在上海海航大廈前直播
表達對中共獨裁專制的不滿批判中共暴政並朝共匪頭
子習近平的頭像潑灑墨汁被世間稱為潑墨女孩和
巾幗英雄隨後被共匪綁架下落不明有傳被關進精神
病院受到迫害摧殘
宇高大觀筆

蔣先建

蔣公理念傳後人
先頭反共街上爭
建立民主廢專制
代代不息接力奔

蔣先建，一九八二年生，軟體工程師，熱愛民主自由，崇尚憲政法制，街頭行動的人權捍衛者，曾多次進行街頭舉牌活動，要求普選產生國家政府的領導人，二〇一六年二月在成都市公開舉牌要求實現民主憲政而被中共當局綁架拘押，後消息不明。

蔣先建（しょう・せんけん）、一九八二年生まれ。ソフトウェアエンジニア。民主と自由を熱愛し、憲政と法制化を尊び、人権問題に関心を持って街頭で活動する人権擁護活動家である。多数にわたり街頭でプラカードを掲げ、普通選挙によって政府や指導者を作ることを要求した。二〇一六年二月、成都の路上で民主化や憲政の実現を公然と要求するプラカードを掲げていたところ、中共当局に拘束され、その後の消息は不明である。

蔣先建 四川人權捍衛者於二〇一六年二月在成都舉牌
要求實現民主憲政
被中共反動當局拘押

李翹楚

李家有女今長成
翹首執義奮力爭
楚楚雙肩負使命
靚靚英姿勵眾人

李翹楚，一九九一年出生，畢業於中國人民大學勞動人事學院，後曾於清華大學從事研究助理的工作。女權主義者，勞工問題研究者，曾多次參與中國勞工、女權和民間維權議題。二〇二〇年二月，李翹楚被共匪以涉嫌「煽動顛覆國家政權罪」為由，進行刑事傳喚，後被刑事拘留。同年三月十五日，李翹楚被正式宣布逮捕和長期羈押，被關押七個月後方被允許律師會見，後律師稱她的健康情況引發擔憂。

李翹楚（り・ぎょうそ）、一九九一年生まれ。中国人民大学労働人事学院を卒業し、清華大学で研究助手を務めた。フェミニスト、労働問題の研究者であり、労働者、フェミニズム、民間の権利擁護の議論に数多く参加した。二〇二〇年二月、「国家政権転覆煽動罪」の容疑で召喚を受けた後に刑事拘留（拘役）を受け、同年三月一五日に正式に逮捕され、長期間投獄された。入獄七か月後に接見した弁護士は、後に彼女の健康状態が心配であると述べている。

自由公義愛

公民

李翹楚一九九一年生畢業於中國人民大學勞動人事學院及於英國約克大學獲碩士學位後在清華大學從事研究助理工作女權主義者勞工問題研究者曾參與中國勞工女權和民間維權二〇二〇年二月被共匪以煽顛罪為由進行刑事傳喚和刑事拘留後於同年三月被共匪正式逮捕查遭羈押由於李翹楚曾患有嚴重抑鬱症被關押七個月後始被允許與律師見面李翹楚受共匪迫害引起國際關注

大觀筆

趙威

趙女為民抗匪官
威求法制行正端
善人惹惱專制鬼
前路多難心底寛

趙威，筆名考拉，一九九一年生，河南濟源市人，為北京律師李和平的助理，二〇一五年中共迫害律師的七〇九事件中，趙威也被中共當局逮捕，並於翌年被以煽動顛覆政權罪正式逮捕關押，成為當時最年輕的政治犯，在押期間受到共匪員警恐嚇並累及家人老小，見證了共匪獨裁專制的殘暴無恥。

趙威（ちょう・い）、ペンネーム考拉（こう・ら）、一九九一年生まれ。河南省済源市の人。北京の著名弁護士李和平の助手を務めた。二〇一五年、中共による弁護士迫害の七〇九事件の際に李和平とともに捕えられ、翌年に「国家政権転覆煽動罪」で正式に逮捕、投獄された。当時最年少の政治犯と言われた。入獄中、警官の脅しは本人のみならず、家族の大人子どもにも及んでおり、中共匪賊の独裁専制の残忍さや恥知らずぶりを物語っている。

趙威筆名考拉一九九一年生濟源市人為北京律師李和平的助理於二〇一五年
七〇九迫害律運中被中共當局逮捕並於翌年被以煽顛罪正式逮捕關押被稱為
當時最年輕的在押政治犯在押期間受到當局恐嚇並累及家人老小見證了中共
暴政之無道
宇宙大觀筆

李澤華

李澤華，一九九五年出生，畢業於中國傳媒大學，前中央電視台節目主持人，公民記者。二〇二〇年二月親赴武漢實地採訪實況報導大瘟疫真相，後被中共當局以涉嫌擾亂公共秩序罪的名義綁架下落不明。後經國際力量呼籲後獲得釋放。李澤華留下錚錚之言：「我為的是能有更多的年輕人像我一樣站出來」。

李君本為傳媒人
澤潤民心赴災城
華夏後人擔道義
直播真相惱俄孫

李沢華（り・たくか）、一九九五年生まれ。中国メディア大学を卒業した元中央テレビ局のキャスター、市民ジャーナリスト。二〇二〇年二月、武漢で新型コロナウイルス大流行の真相を現地取材し、実況報道したところ、中共当局に「公共秩序騒乱罪」容疑で拉致され、消息不明となった。後に国際社会の呼びかけで釈放を勝ち得た。彼は「私がしたことは、もっと多くの若い人が私のように立ち上がることができることを希望したのです」という素晴らしい言葉を残している。

李澤華一九九五年生人
畢業於中國傳媒大學
前中央電視台節目
主持人 公民記者
二〇二〇年二月
親赴武漢
實地採
訪報道真
相而被失蹤
於二月26日郷媒
李澤華發出錚錚之言
我希望能有更多的年輕人像我一樣站出來
宇宙大觀記之

張盼成・祁怡元

張生祁君雙人行
盼望民主夢成真
令官公佈私財産
怡元開局啟新程

張盼成，甘肅合水人，一九九六年？生，因對習近平倒行逆施和大撒幣公開表達不滿，要求言論自由，聲援被失蹤人士勇氣非凡。其友人祁怡元也在同時錄製視頻呼籲釋放被捕律師，要求結束共產暴政，令共匪瘋狂。二〇一八年十一月遭中共當局綁架迫害下落不明。

張盼成（ちょう・はんせい）、一九九六？年生まれ。甘粛省合水の人。習近平の時代や道理に逆らったやり方や大バラマキ政策に反対して公然と不満の意を表わし、言論の自由を要求し、中国当局により失踪状態になった人たちを支持するなど、類まれな勇気を持つ。友人の祁怡元（き・いげん）も同時期に、捕まった弁護士の釈放や共産党の暴政の終わりを呼びかける動画を作った。中共当局をあわてさせ、二人は二〇一八年一一月に拉致、迫害を受け、消息不明になった。

張盼成 甘肅合水人原為北京大學保安
因對習近平倒
行逆施多次撒布
公開表達不滿
要求言
論自
由聲
援維權人士
勇氣非凡其友人
亦恰在同

反对习禁评
倒行逆
反对共产
一党独

時北京劉姓頻頻呼
呼籲被捕律師
要求結束共產
黨一黨獨裁令其遭表彰

寧茵大觀筆

周庭

周庭，一九九六年出生，香港民主派政治家，學民思潮前發言人，被稱為「民主女神」。十五歲就成為學民思潮成員，二〇一四年雨傘革命期間積極發言力挺香港市民，尤在日本有很高人氣。二〇二〇年共匪強推「國安法」，周庭與等多名民主人士遭到香港共匪警員搜捕並被判罪，於翌年六月十二日刑滿出獄。二〇二一年十二月二日，周庭獲選英國金融時報 Financial Times 二〇二一全球最有影響力的二十五位女性之一。

周而復始風轉雲
庭院育出明亮星
優雅女神信念重
香港自由必再臨

周庭（しゅう・てい）、一九九六年生まれ。香港の民主派政治家、学民思潮の元スポークスパーソンで、「民主女神」と呼ばれる。一五歳で学民思潮のメンバーになり、二〇一四年の雨傘革命デモの際の積極的な発言は香港市民を支え、特に日本で高い人気があった。二〇二〇年、中共匪賊が強行して成立させた「国家安全法」により、周庭をはじめ多くの民主派の人たちが香港の中共匪賊の警察に逮捕され、有罪判決を受けた。彼女は二〇二一年六月一二日に刑期満了で出獄した。二〇二一年一二月二日、イギリスの「フィナンシャルタイムズ」により「二〇二一年、世界で最も影響力のある二十五人の女性」の一人に選ばれた。

周庭一九九六年生香港民主派政治活動家學民思潮前
發言人別號學運女神更被日本傳媒稱為民主女神在十五歲
就讀中四期間便加入和成為學民思潮成員二〇一四年
繼續香港浸會大學社會科學學生
同年到二〇二六
年
與羅冠聰黃之鋒等人創立新政黨香港眾志二〇二〇年
中共破壞香港基本法和中英聯合聲明推出偽國安法
後八月十日周庭與黎智英等多位民主人士遭到非法逮捕
後被判刑入獄十個月二〇二一年獲選英國泰晤士報
評為當年全球最有影響力的二十五位女性中唯二入選的華人女性
大觀筆

陳彥霖

陳彥霖，二〇〇四年出生於香港，二〇一九年十月突然全裸浮屍海面，時年十五歲。由於陳彥霖生前是游泳好手，又曾多次參與反送中示威，遺體又被警方迅速火化，因而許多正義人士認為她是被香港共匪警察綁架姦殺並拋屍海裡的，表示一定要追查真相嚴懲兇手，祭奠陳彥霖烈士。

陳家小女花季中
彥才文體擅游泳
霖雨如淚悲溺水
冤魂常訴匪警兇

陳彥霖（ちん・げんりん）、二〇〇四年香港生まれ、二〇一九年一〇月に突然、海面で全裸の姿で浮かんでいる遺体が発見された。享年一五歳。生前、彼女は水泳が得意であったこと、また逃亡犯条例改正案反対デモに多数参加しており、さらに彼女の遺体が警察に迅速に火葬されたこともあって、多くの正義を求める人たちは、彼女は香港の中共匪賊の警察に拉致され、嬲り殺しにされた上で海に捨てられたのだと考え、必ずや真相を追及して殺人犯に厳罰を与えることで陳烈士を追悼しようとしている。

陳彥霖

二〇〇四年生曾就讀於知專設計學院知名游泳健將

二〇一九年九月十九日失蹤後被發現全裸浮屍於海面警方排除涉入調查

而後々代民間堅持死因可疑認定沉冤待雪要求公佈真相

指內部人士披露為中共警察姦殺拋屍

原因是陳彥霖

多次參加反送中示威遊行

而被上了黑名單 共匪罪惡定會被清算的一天

陳彥霖烈士永垂不朽

宇宙大觀記之

第

部

関連諸民族

哈達

哈達，一九五五年生，蒙古族知名學者、社會活動家。一九八九年五月始因與他人成立「蒙古文化救助會」（後更名「南蒙民主聯盟」）連任主席，還與他人創辦了雜誌《南蒙之聲》，同時又撰寫了《內蒙古之出路》一書，號召人們覺醒起來實現和捍衛憲法中規定的人民權利。一九九五年冬，該聯盟組織了以蒙古族為主的呼和浩特大專院校教師和學生罷課和遊行，要求實現憲法規定權利，遂於一九九六年三月被正式逮捕，一九九六年被中共當局以「分裂國家罪」和「間諜罪」秘密判處有期徒刑十五年，二〇一〇年十二月刑滿出獄，但仍遭四年黑監獄監禁。其羈押期間慘遭酷刑折磨，至患多種疾病。

哈達（ハダ）、一九五五年生まれ。内モンゴルの人。モンゴル族の有名な学者、社会活動家。一九八九年五月から共同で「モンゴル文化救助会」（後に「南モンゴル民主聯盟」に改名）を設立して主席となる。また共同で雑誌「南蒙之声」を創刊するとともに、書籍『内モンゴルの出路』を執筆し、中国憲法に定められた人民の権利を実現し守るために立ち上がることを呼びかけた。一九九五年冬に同聯盟は、モンゴル族を主体としたフフホトの大学の教師、学生によるストとデモを実施し、憲法で規定された権利を実現するよう要求したが、一九九六年三月、中共当局に正式に逮捕され、同年に秘密裁判で「国家分裂罪」および「スパイ罪」で懲役十五年の判決が言い渡された。二〇一〇年一二月、刑期満了で出獄のはずだったが、なおも闇監獄に四年間投獄され続けた、入獄期間中に残忍な拷問に苦しめられ、多くの病気にかかった。

哈達奇剛蒙古人，一九五五年生于内蒙古人民出版社，任職蒙文校知名學者、社會活動家，九八九年五月如同与他人成立蒙古文化救助會後更名南蒙民主聯盟曾任主席，因喚喚之内蒙古之主政書號召人們起義，自治院校教師、絡被以引来國家龍被秘密判刑、導致其休克患動脈頭比等新疆疾病，十五年代課和遊行于一九九五年組織之呼和浩特哈撒利九九五年被以涉嫌貪局速捕、代主題押期間慘遭酷刑折磨。逢与他人成立蝉徒動象之聲。

大觀筆

二三七

哈姆拉提・吾甫爾

哈姆拉提・吾甫爾（拉丁維文：Halmurat Ghopur），一九六〇年生，維吾爾族，新疆烏魯木齊人，醫學家，醫學博士，曾九年任新疆醫科大學校長、前新疆維吾爾自治區藥品監督管理局局長。二〇〇八年因研究哮喘病而獲提名為科學中國人二〇〇八年年度人物。曾擔任新疆人大常委等職。因他與學生交談時「顯露出民族主義的傾向」為由，二〇一七年哈姆拉提・吾甫爾被共匪人員從辦公室押走，後被判處死刑緩期。現況不明。

哈木拉提・吾甫爾（ハリムラット・グプル）、一九六〇年生まれ。新疆ウイグル自治区ウルムチのウイグル族。医学者、医学博士で、新疆医科大学の学長を九年間務め、新疆ウイグル自治区薬品監督管理局の局長も務めた。二〇〇八年には喘息の研究で「科学中国人二〇〇八年度人物」に挙げられた。新疆人民代表大会の常務委員なども務めた。しかし、二〇一七年、学生との会話中に「民族主義の傾向が顕わである」とされ、そのために職場で中共当局に捕まり、執行猶予付き死刑の判決が言い渡された。現在の状況は不明。

哈木拉提吾甫爾
一九六〇年生於烏魯
校長任內項專業課項
研究作出了傑出
二〇一八年被以兩面人方
罪名拘捕
木齊市原新疆醫科大學
為維族醫藥領域現代
貢獻
以傳播極端民族主義思想等
迫害之竟以分裂國家政權罪
判處
死刑緩
期執行
於二零一九年九月傳出當局已執行的命運
成為共匪獨裁專制迫害少數民族的典型案例之一
大觀筆

依明江・賽都力

依明江・賽都力，一九六五年生，新疆大學歷史系畢業。是知名的維吾爾族歷史學家兼出版人，新疆伊斯蘭教經學院的歷史學教授，也是新疆愛民（Imin）圖書發行有限公司的創始人。自二〇一二年起，他已經出版了逾三五〇本書籍，涉及的主題包括科學、心理學、語言教育和兒童教育。他一直致力於促進文化交流。他於二〇一七年五月突然失蹤，直到在二〇一九年二月被中共當局秘密和不公審判後，被以「鼓動鼓吹極端思想罪」，判處有期徒刑十五年及罰款五十萬元人民幣。是典型的思想治罪言論治罪，凸顯中共獨裁專制的野蠻。

依明江・賽都力（イミジャン・セイディン）、一九六五年生まれ。新疆大学歴史学部卒業。ウイグル族の著名な歴史学者兼出版業者で、新疆イスラム教経学院の歴史学の教授、新疆愛民（イミン）図書発行有限公司の創設者でもある。二〇一二年から科学、心理学、言語教育、児童教育などがテーマの三百五十冊以上の書籍を出版しており、文化交流の促進に尽力していた。二〇一七年五月に突然失踪状態になる。それから二〇一九年二月までの間に不当な秘密裁判を受け、「過激思想煽動罪」で懲役十五年および罰金五十万元に処された。これは、思想と言論に対する取り締まりの典型であり、中共の独裁専制の野蛮さをはっきりと示すものだ。

依明江賽都力著名維吾爾族歷史學家兼出版人
新疆伊斯蘭教經學院教授自二〇一二年起他出版了逾三百五十本
書籍並一直致力於促進文化交流但他
於二〇一七年五月失蹤
直至二〇一九年被秘密審判並被以
鼓動鼓吹極端思想罪
被判有期徒刑十五年
被剝奪政治權利五年及罰款是共匪思想專制破壞文化
之惡行也
大觀筆

熱依拉・達吾提

熱依拉・達吾提，一九六六年五月出生，女，維吾爾族，生於新疆烏魯木齊市，語言學家、民俗學家，新疆大學維吾爾語言文學專業畢業，獲學士學位、少數民族民間文學民俗學專業碩士，北京師範大學民俗學博士學位，副教授、教授、研究生導師等。曾赴美國留學和訪問教授多年，獲得「第七屆鍾敬文民俗學獎」。二〇一七年十二月赴北京後音訊全無，後據傳被中共當局祕密拘捕，現況不明。但海外授與其本人多個獎項，予以高度關注。

熱依拉・達吾提（ラヒラ・ダウト）、一九六六年五月新疆ウイグル自治区ウルムチ市生まれ。女性。ウイグル族。言語学者、民俗学者。新疆大学中文学科ウイグル語・文学専攻を卒業して学士号を取得し、少数民族の民間文学と民俗学の専攻で修士号を取得、北京師範大学中文学科で民俗学の博士号を取得し、同大学の副教授、教授、研究生指導教授などを務めた。またアメリカに留学したことがあり、長らく訪問教授を務めた。第七回「鍾敬文民俗学賞」を受賞している。二〇一七年一二月に北京を訪れた後、音信不通になる。後に、中共当局に秘密裡に捕まったとも言われており、現在の状況は不明。彼女は海外で多数の賞を受けており、強い関心を寄せられている。

熱依拉達吾提維吾爾族一九六六年生於烏魯木齊市語言學家民俗學家
新疆大學學士學位北京師範大學博士學位高級文化人林深造於美國
當過訪問學者
二〇一七年去
北京居住
失去聯系
消息是被中共當局
人間蒸發
鄉村拘押成為其迫害人類民族殖民政策的受害者
受到國際社會的關注要求中共公佈公佈真相和放人
宇福大觀筆

紮西文色

紮西文色，一九八六年出生，西藏東部康區吉康多縣即現青海省玉樹市人，曾過著衣食無憂的生活。但在親眼目睹了中共當局在經濟援助中，破壞西藏當地文化的現象，他為向外界公開表達自己的擔憂，呼籲宣導藏人使用和發展自己語言的權利，他和平守法地走訪中共電視台和法院，希望透過法律程序解決問題。但二〇一七年被當局以「煽動分裂罪」判處五年徒刑。二〇二一年釋放後他在微博上發聲堅稱「言論自由是一切權利之母」。國際西藏網路授予紮西文色「丹增德勒仁波切勇氣獎」加以表彰。

扎西文色（タシ・ワンチュク）、一九八六年生まれ。チベット東部康区（カム）キェクド県（現青海省玉樹市）の人で、かつては衣食に心配のない生活を送っていた。しかし、中共当局が「経済援助」の名目でチベットの現地文化を破壊するのを目の当たりにした後、その懸念を外の世界に公開し、チベット人が自分たちの言語を使用、発展させる権利を持つことを提唱、アピールした。平和的、合法的に中共のテレビ局や裁判所を訪れ、法律の手続きを通じて問題を解決することを求めた。しかし、二〇一七年、中共当局は「分離主義煽動罪」で懲役五年の刑を言い渡した。二〇二一年に釈放された後、インターネットのウェイボーで発言し、「言論の自由はすべての権利の母である」と主張した。国際チベットネットワークから「テンジン・デレク・リンポチェ勇気賞」を授与されている。

扎西文色一九八六年出生於西藏東部康區吉康的縣即青海省玉樹市
曾在青海經商衣食豐厚但是看到共匪在發展經濟的同時破壞當地
文化使西藏語言和文化逐漸消亡而西藏人卻對此無力改變這一切時決定
公開表達自己的擔憂並呼吁宣導藏人使用和發展自己語言
的權利他和
軍
通過法律
守法地走訪了
共匪中央電視
台和法院希望
經由解決問題但卻於二〇一七年被共匪以煽動分裂罪
判刑入獄五年二〇二一年釋放後仍即發聲指言論自由是一切權利之母
國際西藏援救扎西文色勇氣獎表彰他為促進西藏人權和正義的勇氣和奉獻
大觀筆

才旺羅布

才旺羅布（Ceftpangf Norvpuf），一九九六年生，出生於西藏那曲地區，是知名藏人歌手，曾參與多個衛視、視頻等音樂綜藝節目。二〇二二年二月二十五日，為抗議共匪當局對西藏文化的破壞，才旺羅布於西藏拉薩布達拉宮外高喊口號自焚，成為自二〇〇九年起第一五八位自焚的藏人。但當時並未死亡，而是被共匪警察抓走拘留至三月四日，才傳出才旺羅布死亡的消息，被外界懷疑是因共匪警察施暴而亡。中共當局一如既往掩蓋真相和罪行，並拒絕調查。

才旺羅布（ツェワン・ノルブ）、一九九六年チベット自治区ナクチュ地区生まれ。著名なチベット人歌手で、多くの衛星テレビ、ビデオなどの音楽バラエティー番組に出演していた。二〇二二年二月二五日、中共匪族当局によるチベット文化の破壊に抗議するために、ラサのポタラ宮の外で、大声でスローガンを叫びながら焼身自殺をはかった。二〇〇九年以来、百五十八人目の焼身自殺したチベット人になった。ただし、彼は焼身自殺をはかった時は亡くなっておらず、警察に連行、拘束され、三月四日になって彼の死が伝えられたので、警察の暴力で死亡したとも疑われている。いつものように中共当局は真相と犯罪行為を隠蔽し、調査を拒否した。

才旺羅布一九九六年生於西藏那曲地區是知名藏人
歌手曾參加各國衛視五月為抗議共匪當至拉薩布達拉宮外自焚被拘押至三月曾傳出他死亡之
消息外界懷疑是為匪警施暴致死
寫的綜藝節目二〇二三年向對西藏文化的破壞才旺羅布喊口號自焚但未遂而是被共匪警
大觀筆

【後記】

十多年前，我就開始關注中國人權問題並收集資料，畫好了相當的作品。但是如何發表何時發表，尚未作考慮。首先作為是一種正義感的自我積累。三年前在川口文化中心搞了第一次人權英雄作品展覽，既沒有亮出真名，也未接受採訪，只是邁進了開始的一步。二〇二一年十二月「國際人權日」記念日在文京區文化中心搞了第二次展覽，雖然接受了朝日新聞的探訪，但未公開真名。第三次在二〇二二年在常林寺搞了第三次展覽逐漸亮出了真名，勇氣也越來越強大。

あとがき

私は十数年前から中国の人権問題に関心を持って資料を集めるようになり、それらに見合った絵を描いてきました。ただし、どのように、いつ、作品を発表するかは考えてきませんでした。まずは一種の正義感の行いを、自分自身のために蓄積してきたのでした。

三年前に初めて、川口文化センターで第一回人権英雄作品展を開催しましたが、私は本名を明かさず、取材も受けず、ただスタートの一歩を踏み出したにとどまりました。二〇二一年一二月には「国際人権デー」の記念日に文京区シビックセンターで第二回作品展を開催し、この時は朝日新聞の取材を受けましたが、本名は公表しませんでした。二〇二二年に東京の常林寺で第三回目の作品展を開催した時からようやく本名を明かすようになり、勇気もますます強くなりました。

我很喜歡文天祥的名句：「人生自古誰無死，留取丹心照汗青」，我想一個人能在生前向社會公開表達自己的真心真想，是很有意義的事。

在日本雖然也有中共勢力的種種影響和壓力，但與在中國大陸共匪專制下公開抗爭的人權英雄相比，實在是風險太小了，只需要自己努力沖破心理障礙和利害考量，就能進入一種無畏的狀態。畫英雄就是學英雄，提高勇氣，擴大對中共獨裁政權的反人權犯罪進行抗爭的精神正氣場。

隨著本書的公開發行，我考慮在各地不斷舉辦人權英雄作品展覽，擴大有共同價值觀的同志群。為此我發起「日華普遍的價值同盟」，歡迎有志之士加入，為人權的尊嚴而共同努力。

私は文天祥の名句「人生自古誰無死、留取丹心照汗青」（古来より誰も死なない人はいない。ならば真心を貫いて歴史に輝かそう）が好きで、人が、生きている間に自分の真心と真実を社会に向けて表わすことは、とても意義のあることだと思います。

日本でも中共勢力からのさまざまな影響や圧力はありますが、中国大陸の共産党専制のもとで公然と抵抗する人権の英雄たちと比べれば、実のところリスクはあまりにも小さく、心理的な障壁や利益勘定を打ち破る努力を自分がしさえすれば、怖い物なしの状態になることができます。英雄たちを描くためには、彼らから学び、勇気を高め、中共独裁政権の人権に反した犯罪に対して抵抗を進めていく、精神上の正しい気風を拡大しなければなりません。

本書の出版を機に、共通の価値観を持つ同志の輪を広げるために、頻繁に各地で人権の英雄の作品展を開催することを考えています。このため、私は「日華普遍的価値同盟」を立ち上げました。志のある方が加入して、人権と尊厳のために共に努力してくださることを歓迎いたします。

著者略歴

宇宙大観、本名は于駿治、通称名は宇俊之、別号は大観、愚公、古今、天馬堂主など。一九五〇年上海生まれ。主に独学で絵画の道を歩み、一九八七年に来日するまで三国演義などの古典連環画を約五十種出版した。来日後は産経学園、ＮＨＫ文化センター、明治大学リバティ・アカデミーなどで水墨画講師を務め、また書画交流を展開し、二〇一一年には文科大臣特別表彰を受賞した。水墨画の著作を数冊出版している。同時に人権問題に関心を持ち、独裁政権を批判する詩文を多数発表、現在人権派画家として活躍している。

メールアドレス＝unotosiyuki@gmail.com

中国人権英雄画伝

第一刷発行……二〇二三年一〇月八日
著者……宇宙大観
翻訳協力……麻生晴一郎
発行者……集広舎
発行所……福岡県福岡市博多区中呉服町五番二三号　〒八一二―〇〇三五
電話〇九二（二七一）三七六七　https://shukousha.com
装幀……中国人権問題研究会
印刷所……シナノ書籍印刷株式会社
ISBN978-4-86735-049-2